LA BALLADE D'HESTER DAY

Mercedes Helnwein vit à Los Angeles. Plasticienne réputée, elle a grandi dans des châteaux, en Irlande et en Allemagne. Enfant, Mercedes Helnwein était folle d'Huckleberry Finn, alors elle lui a inventé un alter ego moderne, Hester Day. *La Ballade d'Hester Day* est son histoire.

MERCEDES HELNWEIN

La Ballade d'Hester Day

TRADUIT DE L'ANGLAIS (ÉTATS-UNIS) PAR FRANCESCA SERRA

LA BELLE COLÈRE

Titre original :

THE POTENTIAL HAZARDS OF HESTER DAY

© Mercedes Helnwein, 2008.
© S. N. Éditions Anne Carrière/La belle colère, 2014,
pour la traduction française.
ISBN : 978-2-253-00340-3 – 1ʳᵉ publication LGF

À mes parents

Prologue

Mes parents m'ont appelée Hester Louise Day. Hester en mémoire d'une sœur décédée, Louise en mémoire d'une tante décédée, et Day en mémoire de l'homme, décédé il y a longtemps, qui fonda cette famille quelque part en Europe, au cours d'une nuit noire et fougueuse.

Petite enfance

J'ai du mal à m'en souvenir, pour être honnête. Ça devait être chiant à mourir. Tout ce qui me revient de cette époque, c'est un papier peint jaune à thème : des ours tenant un parapluie à la main ; et une couverture épaisse, avec des coussins rugueux assortis, ornés de motifs tout aussi insipides.

Vie sociale (événements marquants)

À cinq ans, j'ai remporté un prix à l'école pour avoir fabriqué un collier de haricots.

À neuf ans, j'ai définitivement ruiné ma réputation en cassant le nez d'un élève. Je ne sais plus pourquoi exactement, mais ça avait un rapport avec une gomme. Après ça, on ne m'a plus jamais regardée tout à fait de la même façon.

À quinze ans, devant la bibliothèque municipale, un garçon a maté mes jambes, puis il a levé les sourcils quand j'ai croisé son regard. J'ai passé la nuit suivante à me demander comment prendre ce compliment.

Amis

J'en ai eu un, quand j'étais petite. Un garçon qui portait toujours des chapeaux de cow-boy et qui aimait bien se battre contre les meubles. Il s'appelait Marc et il habitait notre rue. Il voulait devenir cow-boy, mais j'ai découvert par hasard que ses parents comptaient en faire un avocat. Je ne le lui ai jamais dit.

À l'âge de quatre ans, on s'est retrouvés assis côte à côte, un jour d'automne, dans la cour de récréation. On s'est dévisagés avec d'immenses yeux inexpressifs. Et puis il m'a demandé pour combien d'argent je serais prête à manger un orteil humain. On est devenus amis sans plus de cérémonie.

À treize ans, Marc a déménagé à Kansas City et m'a laissée seule avec ma famille et ma puberté. Son abandon m'a bouleversée, mais il m'a fallu du temps et un peu de recul pour me rendre compte d'à quel point ça avait été terrible. J'ai compris alors que je n'y avais survécu que *parce que* j'avais treize ans à l'époque.

État mental

Je n'ai jamais souffert de troubles psychologiques dignes d'intérêt, ou alors il ne s'agissait que de fausses alertes, comme je le découvrais après coup, et ma psyché n'en gardait aucune séquelle, me laissant aussi indemne et sereine que le jour où un médecin m'a extirpée du ventre de ma mère.

J'ai parfois tenté de me laisser submerger par de mystérieuses dépressions, par des problèmes susceptibles de donner du sens à ma vie. J'ai essayé d'avoir l'air sombre, de me plonger dans des tourments insondables pour le commun des mortels, et alors les gens m'auraient vue comme une belle et tragique énigme. Mon ambition se résumait à ça, pendant un temps : être impénétrable. J'ai compris plus tard que, de toute façon, j'avais toujours été quelqu'un d'incompréhensible pour mon entourage, sauf que ce n'était ni romantique ni forcément à mon avantage.

Apparence physique
À dix-sept ans, j'étais petite pour mon âge et j'avais une tête ronde, ce qui me rajeunissait d'au moins trois ans. L'essentiel de ma garde-robe datait d'avant 1970. Ça n'avait rien d'une lubie. Je ne supportais tout simplement pas l'idée que mes parents m'achètent des vêtements, quelque chose là-dedans me donnait la nausée. Alors, chaque fois que j'avais besoin de nouvelles fringues, je me rendais dans les seuls endroits que m'autorisaient mes finances personnelles : des dépôts-ventes. Je raffolais tout particulièrement des motifs bizarres et répétitifs, des rayures et des couleurs unies très vives.

J'avais la peau blanche comme de la craie, les lèvres rubis et je souriais volontiers pour tout un tas de trucs. Ce sourire, je suppose, était ce qui m'éloignait le plus du romantisme mélancolique auquel j'aspirais. Mes décisions étaient hâtives, mes idéaux décalés et mes émotions primaires.

J'avais des yeux vert gazon, des cheveux bruns qui tiraient sur le noir. Tous les deux ou trois mois, munie de ciseaux de cuisine, je les coupais entre le menton et les épaules, laissant l'angle d'inclinaison des ciseaux décider de la hauteur.

Mais ce qui me caractérisait le mieux, c'étaient mes joues, en permanence aussi rouges que des cerises. Il m'arrivait de me regarder dans le miroir et de me faire l'effet d'un personnage de dessin animé en Technicolor. Souvent, les gens pensaient que je me tartinais outrageusement le visage de blush ; du coup, j'ai traversé une phase où je mettais du fond de teint ivoire pour aller à l'école.

Santé

Il paraît que j'ai le foie fragile, mais je ne fais pas confiance aux médecins : j'écouterais tout aussi volontiers les conseils d'une bouche d'incendie en matière de santé ! Quoi qu'on me dise, si cela vient de quelqu'un en blouse avec un stéthoscope autour du cou, j'ai tendance à croire le contraire.

J'ai commencé à fumer à treize ans, mais surtout parce qu'à l'époque la vie m'incitait à contracter une mauvaise habitude, si possible illicite. Chaque fois que je pensais avoir attrapé une bronchite, j'arrêtais ; mais dès qu'il s'avérait que c'était une fausse alerte, je m'empressais de craquer une nouvelle allumette.

Famille

Mon père était architecte. Ma mère appartenait à cette catégorie de femmes qui courent de droite à gauche, d'un barbecue à un gala caritatif, vêtues d'insipides tailleurs crème et de chapeaux assortis. Hannah, ma grande sœur, se préparait à entrer en fac de psychologie. Le bruit courait dans le voisinage que nous étions un superbe spécimen de bourgeoisie de banlieue. Les autres familles nous lançaient des regards en coin en arrosant leur pelouse, et il était clair, à la façon qu'elles avaient de nous observer, qu'elles nous collaient une étiquette de gens équilibrés. Je n'ai jamais compris ce qui leur faisait croire ça, parce que n'importe quelle famille de *white-trash* aurait été plus civilisée que la nôtre.

Parfois, ma mère se prenait de fierté pour sa fille cadette et m'emmenait avec elle à des mariages, des enterrements, des réunions de famille, des chasses aux œufs de Pâques ou des collectes de fonds pour lutter contre le cancer du sein. Mais, en général, elle s'apercevait avant la fin de la journée qu'elle n'était pas si fière de moi que ça, finalement. Avec le temps, elle abandonna toute tentative de me sociabiliser et je pus mener tranquillement une existence de jeune champignon dans ma chambre.

Après quatorze ans d'existence, je me trouvais complètement en marge de l'humanité. Je n'étais ni particulièrement écervelée ni ignorante ; *au contraire* [1], j'avais étudié un tas de sujets en profondeur (tant et si bien, à vrai dire, qu'on aurait pu se demander si certaines de ces connaissances trouveraient un jour l'occasion de refaire surface). J'avais consciencieusement exploré le catalogue de la bibliothèque municipale et développé un rapport très intime avec la littérature classique. Mais, en termes de vie sociale,

---

1. En français dans le texte original. (*Toutes les notes sont de la traductrice.*)

j'en étais restée à l'âge de pierre. Je ne savais pas quoi dire, ni à quel moment, ni comment saluer des invités ou demander la permission de sortir de table. J'ignorais pareillement ce qu'il fallait attendre des autres, quand éclater de rire ou froncer les sourcils en signe de désapprobation. Mais cela ne se résumait pas à une question de savoir-vivre : l'humanité dans son ensemble, avec ses émotions, ses idéaux, ses concepts, m'était étrangère. J'étais tellement mise au ban de mon espèce que je ne comprenais rien à rien. J'étais incapable de différencier une bonne chose d'une moins bonne chose.

Quant aux membres de ma famille, je ne les aimais pas tant que ça et ils ne m'aimaient pas tant que ça non plus. J'aimerais pouvoir dire que je les détestais, mais ce serait faux. En réalité, je n'ai jamais vraiment haï personne, jusqu'à ce jour, vers l'âge de dix-neuf ans, où j'ai eu une conversation avec le commercial d'une compagnie de téléphonie mobile.

Ville natale

Si vous voulez mon avis, dans ce pays, les villes de taille moyenne se ressemblent toutes. Il y a quelque chose de déprimant ne serait-ce que dans la façon dont la brise balaie les déchets le long des rues désertes. Ou dans cette habitude qu'ont les gens de déjeuner dans des centres commerciaux, leurs sacs de courses posés entre les jambes. Quelque chose de déprimant aussi dans l'odeur de la moquette, à l'intérieur d'agences bancaires surclimatisées. Et dans cette manie qu'ont les flics de coller des amendes à la moindre occasion, comme s'ils n'avaient rien de mieux à faire.

14

La Floride... L'appendice de cette grande nation ! Chaque fois que tu pousses la porte d'entrée, tu te sens étouffé par quelque chose : l'humidité, la chaleur, peut-être seulement les réminiscences de la veille ou les prémonitions du lendemain. Tout stagne. Il me semble parfois que le temps s'est arrêté ici à une drôle de date. Non pas au « bon vieux temps », mais plutôt à un jour minable des années 1980 qui nous aurait privés d'héritage. Après tout, à quoi nous associe-t-on ? Aux oranges, aux vieilles dames dont la teinture vire au mauve, au soleil et aux touristes.

Et puis il y a la nature, qui est merveilleuse si vous aimez les cartes postales. Le soir, les palmiers font cuire leurs feuilles contre des ciels roses, et les lumières du golfe du Mexique se reflètent sur l'eau en ondulant jusqu'à l'horizon. À une époque, je pensais que tout cela n'était qu'un toit pour les poissons, comme le plafond d'un immense salon. La seule chose qui n'a jamais manqué de me réconforter dans ma ville natale, c'est la brise nocturne. Que tu attendes debout, devant une laverie, qu'une couette géante finisse de sécher, ou que tu te balades sur la plage en regardant les hippies jouer du djembé, il y a toujours quelque chose d'agréable dans la manière dont l'air te lèche la nuque quand la nuit est tombée. Et puis l'aube point, et le soleil te frit dans de l'asphalte liquide.

Mais qui sait ? Peut-être que cette description de chez moi est biaisée. Peut-être est-ce vraiment le paradis. L'enfer et le paradis sont deux termes parfaitement interchangeables. Restons-en là.

Une typo qui craint

À dix-sept ans, j'ai labouré ma vie avec une mois-sonneuse à combustion. Enfin, pour être franche, je ne suis pas sûre que les moissonneuses à combustion existent vraiment, mais si c'est le cas, c'est exactement le genre d'engin avec lequel j'ai labouré ma vie.

La fin du mois de juin approchait. Le ciel était couvert, et le vent d'est soufflait, un peu trop fort pour qu'on le qualifie d'habituel en cette saison. Une estrade avait été installée sur le terrain de foot. En face étaient assis un nombre incalculable d'adoles-cents acnéiques aux yeux écarquillés, sursexualisés, sous-éduqués, aussi ignorants que le jour de leur nais-sance, mais moins curieux et plus sûrs que jamais de leurs capacités intellectuelles. Les haut-parleurs diffu-saient de la musique. Le genre d'air patriotique censé stimuler les gens et leur faire monter aux yeux des larmes de détermination.

Puis, à un moment, ce fut mon tour. Je montai sur l'estrade et tendis la main vers mon diplôme de fin d'études. Mon nom flottait dans les airs au-dessus d'une mer de parents étalée devant moi. Le proviseur me serra la main et je notai qu'il souriait comme si un écarteur chirurgical étirait les coins de ses lèvres. Son front luisait de transpiration. Une misérable mèche de cheveux s'était échappée de sa coiffure et se retrouvait bizarrement collée sur son sourcil. J'étais sur le point de prononcer quelques mots (peut-être une mauvaise plaisanterie qui résumerait notre relation), mais son regard se posait déjà sur le diplômé suivant, sa main se tendait vers lui, alors je m'éloignai d'un pas machinal pour descendre de l'estrade, comme nous l'avions répété plus tôt dans la journée.

Un ruban bleu autour du diplôme le maintenait enroulé. En retournant m'asseoir, je jetai un coup d'œil en direction des places occupées par ma famille, qui attendait la fin du calvaire. Ma mère, mon père, ma grande sœur et une tante que j'avais dû voir en tout et pour tout deux fois dans ma vie m'observaient comme si j'avais été une accidentée sur le bord de la route. Ma mère poussa un bref soupir, puis, morte d'ennui, se remit à suivre poliment ce qui se passait sur l'estrade.

Ma famille était une entité étrange. Très souvent, elle me faisait l'effet d'une monstrueuse machine, avec des roues dentées qui tournent, des leviers qui s'abaissent et se lèvent, de la vapeur qui s'échappe de tous les côtés ; une machine qui produisait à la chaîne quelque chose de tout à fait inutile, comme ces mains géantes en polystyrène qu'agitent toujours les spectateurs dans les matchs de football américain.

« Pourquoi tu n'as pas souri ? demanda ma tante, agacée, lorsque je les rejoignis après la cérémonie.

— Pourquoi j'aurais dû sourire ?

18

— Pour l'amour du ciel ! » s'exclama-t-elle, en reculant d'indignation.

Ma mère me serra dans ses bras, me félicita, me photographia et dit :

« Chérie, j'aurais vraiment aimé que tu te brosses les cheveux ce matin, quand même. Ou au moins que tu te maquilles un peu. Tu as l'air d'avoir dix ans. Oh, je dois aller saluer monsieur Keiller ! »

Là-dessus, elle me tourna le dos et se précipita vers le proviseur qui discourait vivement devant une petite assemblée de parents. Ils se jetèrent dans les bras l'un de l'autre, puis elle prit part à la discussion. Nous restâmes tous en plan quelques secondes, souhaitant de tout notre cœur être n'importe où ailleurs qu'ici.

« Félicitations, chérie, dit mon père après un moment de silence.

— Merci.

— On s'est vraiment demandé, parfois, si tu finirais par y arriver, ajouta-t-il en regardant sa montre. Je veux juste que tu saches à quel point on est fiers de toi.

— Cool. »

Le silence retomba ; comme je ne trouvais rien de mieux à faire, je dénouai le ruban et déroulai mon diplôme. C'était une feuille d'épais papier marbré, couverte de diverses écritures et signatures. Et, imprimées dans une typographie craignos, de couleur coquille d'œuf bien vive, toutes les lettres du nom « Ronald Peterson » se détachèrent nettement sous mes yeux. Avec un sourire grimaçant, je l'enroulai à nouveau.

J'étais ravie qu'ils m'aient remis le mauvais diplôme. Dans une certaine mesure, ça compensait le fait que cette cérémonie n'avait même pas atteint le niveau d'une remise d'oscars du porno. Tout sonnait si tristement creux… Tous ceux qui étaient montés sur cette estrade y avaient joué leur propre petite tragédie. Leur toge brillante, tiraillée par le vent, leur volait la vedette tandis que leur chapeau ridicule, fort de toute sa signification, déformait en une grimace triste le fier sourire qui éclairait leur visage. Ça me rendait malade, et pourtant je ne pouvais m'empêcher d'éprouver de l'empathie. Pas l'empathie genre « Armée du Salut » qui te réchauffe le cœur et te fait te sentir unique, mais celle qui te plombe l'estomac, lourde et noire. Celle qui te donne l'impression d'être en train de te noyer dans de la mélasse.

Peut-être ces sentiments n'étaient-ils pas du tout justifiés, et que, si j'avais l'estomac retourné, c'était lié à des problèmes personnels. Je souffrais peut-être de phobies bizarres, ou de carences en vitamines. Ou peut-être étais-je seulement née sous une mauvaise étoile. Qui sait ? Et qu'est-ce que ça peut bien foutre d'ailleurs ? Ça ne changeait rien au fait que, chaque fois que je regardais autour de moi, ça me faisait grincer des dents, ni à celui qu'ils avaient tous l'air de pâles saucisses mal cuites sans la moindre idée de ce qui les attendait. Ils seraient cuits avant même d'avoir compris ce qui leur arrivait. Les plus malchanceux mèneraient une vie douloureuse, faite de déceptions et de jalousies, en voyant leurs rêves accomplis par d'autres. Les plus chanceux accompliraient leurs propres rêves.

Le pire dans tout ça, je crois, c'est qu'après dix-huit années passées sur cette terre, leurs rêves étaient merdiques. Ils voulaient tous incarner la vie telle qu'on la représente dans les séries télé, être aussi séduisants que ces gens au sourire forcé en couverture de magazines qu'on laisse traîner à côté des toilettes, sur des tables de café ou chez le dentiste.

Ils allaient passer à côté de leur vie. Tous jusqu'au dernier.

«Eh bien voilà, ça, c'est un beau sourire», murmura ma tante.

Elle hocha la tête en direction d'un élève qui posait joyeusement pour une photo, brandissant son diplôme comme un trophée de taekwondo.

«Tout le monde sait que ce jeune homme fera son chemin. Ses parents peuvent accrocher cette photo au mur et être fiers de lui, parce qu'il a l'air heureux. Il n'a pas la tête de quelqu'un qui vient de se faire écraser le pied par un train.»

Elle me lança un regard noir et entendu.

«Je ne vais pas me disputer avec toi, tante Emma.»

Tante Emma détestait qu'on refuse de se disputer avec elle.

On demeura plantés là un bon moment, tel un troupeau de vaches en manque d'inspiration, jusqu'à ce que ma mère finisse par revenir et qu'on la suive tous jusqu'à la voiture.

«Franchement, vous pourriez être un peu plus sociables», dit-elle comme si elle commençait à en avoir marre de devoir être la colonne vertébrale de cette famille d'attardés.

Le bal de promo n'avait pas été une franche réussite non plus, si l'on excepte que j'avais accidentellement déclenché l'alarme à incendie en fumant une cigarette pile en dessous d'un détecteur.

Je n'avais pas la moindre intention de semer le chaos au bal, ni même de m'y rendre à vrai dire, mais ma mère avait insisté pour que j'y aille. Pour elle, il n'y avait rien de plus inconcevable qu'une fille refusant de porter une robe et d'aller regarder toutes les saucisses mal cuites gigoter sur la piste de danse, avec une sentimentalité feinte. Je ne comptais pas m'infliger tout ça et j'avais bien tenté d'y échapper mais, vraiment, c'était peine perdue.

«Maman, je n'ai aucune envie d'y aller», lui dis-je dans la voiture en rentrant du pressing.

Elle me regarda d'un air grave, la lèvre agitée d'un tic. Après un silence de mort, elle demanda :

«Personne ne t'a invitée ?

— Ça n'a rien à voir, répondis-je en m'efforçant de garder les yeux fixés sur la boîte à gants pour les empêcher de se lever au ciel. C'est juste que je préférerais ne pas y aller.

— Ne t'inquiète pas, on va demander à Larry, le voisin, de t'accompagner. En arrivant là-bas, il faut que tu fasses comme si de rien n'était. Le bal de promo, c'est le premier tournant d'une vie, et probablement le plus décisif. Larry est en fac, donc tu auras même une longueur d'avance sur les autres.»

Oh mon Dieu.

«Crois-moi quand je dis que le succès d'une vie repose sur ce bal, et à bien plus d'égards que tu ne l'imagines, ajouta-t-elle après un moment de réflexion.

— Peut-être que dans le choix de certaines carrières ça pourrait avoir de l'importance, concédai-je sans y croire une seconde, mais je ne pense pas que ça change quoi que ce soit pour moi.

— C'est important. C'est toujours important.

— Même pour quelqu'un qui voudrait devenir surfeur professionnel ? »

Elle me dévisagea sévèrement.

« Ce n'est pas drôle.

— Ok, j'irai, me contentai-je de répondre. Mais pourquoi je suis obligée d'y aller avec Larry ?

— Parce que, si tu te pointes à ton bal de promo toute seule, tu seras grillée pour de bon. Autant mourir dans un accident de voiture sur le trajet.

— Dans ce cas je vais appeler George, si ça ne te dérange pas, dis-je, un peu déconcertée. Il m'avait demandé de l'accompagner. »

Elle regarda autour d'elle. Ses yeux étaient écarquillés, brillants et comme éclairés de l'intérieur. Elle n'aurait pas affiché une expression plus extatique si elle venait d'avoir une illumination.

« Quelqu'un t'a invitée !

— Bon, ouais, mais je leur ai dit à tous que je n'irais pas.

— Tous ? Au pluriel ? Oh, c'est merveilleux ! Tu n'as pas idée d'à quel point ! »

Et voilà comment je me suis retrouvée, le soir même, dans la voiture de George, vêtue d'une robe de bal mauve. Il était nerveux et ça me faisait de la peine. Il s'est efforcé d'entretenir la conversation et j'ai tout fait foirer d'un milliard de façons. Je pensais briser la glace, mais j'imagine qu'il faut faire bien attention à l'endroit où l'on plante la hache.

« Alors, qu'est-ce qui t'a fait changer d'avis ? demanda-t-il tandis qu'on quittait l'allée. Je pensais que tu ne voyais pas l'intérêt d'aller au bal de promo.

— Ben, on ne peut pas vraiment dire que j'aie changé d'avis de mon plein gré… Tu vois, ma mère fait apparemment partie d'un culte qui vénère l'*American way of life*, et si j'avais refusé de me rendre au bal elle aurait été excommuniée. »

Il tenta un petit rire et répondit :

« Ouais, je vois ce que tu veux dire. »

J'étais on ne peut plus surprise qu'il voie ce que je voulais dire.

On dépassa le pâté de maisons en silence avant qu'il s'excuse de ne pas m'avoir complimentée sur ma tenue.

« Je n'aurais pas complimenté ma tenue non plus, à ta place.

— Non, mais j'aurais *dû* dire un truc.

— Pourquoi ?

— C'est juste que tu es vraiment très belle et que j'aurais dû te le dire plus tôt, lâcha-t-il sincèrement. Je veux que tu saches que c'est la première chose à laquelle j'ai pensé en te voyant, mais j'ai oublié de le préciser parce que ta mère était en train de raconter tous ces trucs et que je l'écoutais et puis, pendant quelques secondes, j'ai cru que j'avais enfermé mes clés dans la voiture, et ça m'a distrait. Mais bon, voilà, j'avais vraiment l'intention de te dire, depuis la seconde où tu as ouvert la porte, que tu es sidérante. C'est tout. »

Je haussai les sourcils, un peu mal à l'aise parce qu'il avait employé le mot « sidérante ». Dans une certaine mesure, ça m'évoquait l'image d'un petit garçon qui manipulerait des outils très puissants.

24

«Bah, merci.

— Merci à toi d'avoir changé d'avis.

— Waouh, tu me fais rougir jusqu'au sang, là. Je t'ai dit que je n'y étais pour rien. Tu devrais remercier ma mère d'être tarée.»

Bref silence.

«Hester, je le pense vraiment.»

Sa voix était chargée d'une émotion puérile.

«Tu penses quoi?

— Tout ce que je suis en train de te dire. Je ne veux pas que tu aies une mauvaise impression de moi. Je sais que c'était malpoli de ne faire aucune allusion à ta robe, mais je ne suis pas comme ça d'habitude.»

Je jouais à baisser et remonter la vitre, laissant le vent glisser par intermittence à l'intérieur de la voiture.

«George, tu ne pourrais jamais faire quelque chose de mal, même sur ordre du gouvernement, alors calme-toi.

— Je suis parfaitement calme, je veux juste que tu saches que je ne prends pas ça à la légère.

— J'aurais préféré.

— Pourquoi? demanda-t-il en détachant ses yeux de la route pour les poser sur moi.

— Ben, parce que c'est pas comme si on allait perdre notre virginité ce soir, sur le terrain de foot, sous le ciel étoilé.

— Non, c'est clair.»

Il reporta aussitôt son regard sur la route. Je compris alors que je venais d'abattre un gigantesque marteau sur tout ce que ce bal de promo représentait pour lui. Tout ce bel espoir brisé, annihilé sans pitié, avant même que nous ayons atteint la salle de bal. Je me sentais vraiment mal.

La décoration était de très mauvais goût et on y devinait une tentative désespérée pour donner à cette soirée une signification particulière. Aussi impossible que cela puisse paraître, le groupe de musique était encore pire que la déco. Quelques filles m'assaillirent d'étreintes vigoureuses et de cris haut perchés qui me prirent au dépourvu, parce que je n'en connaissais aucune si bien que ça. Je veux dire, je remettais certaines têtes pour les avoir déjà vues de dos, et d'autres pour les avoir aperçues dans la file d'attente de la cantine, ou pour avoir entendu des rumeurs bizarres à leur sujet, mais je n'en *connaissais* aucune. Ni elles ni moi n'avions jamais jugé nécessaire de nous saluer dans une salle de classe. Et je me retrouvais serrée dans leurs bras parfumés, leur coiffure sophistiquée rebondissant contre mon cou. C'était comme si, à une réunion d'alpinistes, je venais de tomber par hasard sur les membres de ma première expédition dans l'Everest.

Elles disaient des trucs du genre : «J'adore ta robe !» Et moi je disais : «Oh, merci. Merci.» C'est ma mère qui l'avait achetée. Elle était mauve vif, satinée, avec une traîne dans une sorte de matière bleue translucide, qui pendait d'un côté. Je n'avais aucun avis particulier sur cette robe, ni positif ni négatif. On aurait dit que mes chaussures avaient été empruntées sur le tournage d'une scène de danse paysanne au milieu de la Seconde Guerre mondiale. C'était ma seule paire de chaussures à talons. J'avais l'air ridicule et j'en étais tout à fait consciente, mais je n'y accordais pas la moindre importance.

La soirée se déroula lentement. Une fille du nom de Kelly fut sacrée reine du bal. Un type debout derrière moi attrapa un gobelet sur une table en s'arrangeant pour frôler mes fesses avec son poignet. Quelqu'un en smoking vert citron rota l'hymne américain. Un autre se mit à pleurer et à brailler qu'il nous aimait tous. Un gars assis en face de nous à table essayait désespérément de rappeler à sa copine « cette scène, dans le film, tu sais, quand… », tandis que la fille en question tentait de lui faire remarquer son soutien-gorge qu'elle avait, l'air de rien, laissé dépasser de sa robe.

George me parlait de ses études d'économie et de la façon dont il pensait que les marchés boursiers s'en sortiraient pendant l'année à venir. Je hochais la tête, réprimais des bâillements en ponctuant le tout de trucs comme « Ouais » et « Grave ! ».

Finalement, la conversation dévia sur les gobelets en carton et à quel point c'était désagréable de boire dedans parce qu'à force le fond finit toujours par se déchirer. C'était la première discussion de la soirée à laquelle je prenais plus ou moins part et, juste au moment où je pensais pouvoir me détendre, George déposa brusquement un baiser maladroit sur ma bouche. Je m'efforçai de lui sourire alors qu'il reculait, mais mes lèvres restèrent figées.

« Viens danser ! »

La dernière chose au monde que j'avais envie de faire, c'était de remuer une putain de jambe.

« George, je préférerais rester assise ici et continuer à parler des gobelets en carton.

— Allez ! »

Il faisait partie de ces gens insupportables qui vous attrapent par la main quand vous ne voulez pas danser et vous tirent de votre chaise de toutes leurs forces. Je n'ai jamais compris pourquoi ces gens existent. On dirait que leur seule mission, dans la vie, c'est de trouver des danseurs récalcitrants et de les traîner sur la piste. Je me demande parfois s'ils appartiennent à une confrérie religieuse.

Je soupirai et, avant que j'aie pu tenter quoi que ce soit pour me dérober, nous étions en train d'avancer et de reculer tout doucement sur la piste. La musique était calme ; quelqu'un chantait le grand amour et on entendait parfaitement qu'il n'était pas cher payé pour ça. J'avais l'impression que la vie se refermait sur moi : j'étais là, en train de danser un slow avec un futur analyste financier et, d'ici peu, j'allais probablement me retrouver à lui sortir une bière du frigo, après sa longue journée de travail. N'est-ce pas ainsi que les choses se passent ?

Je m'interrompis et reculai.

« George, ça t'ennuierait que je sois brutalement franche avec toi ? »

Il avait l'air effrayé.

« Non, vas-y.

— Bon… Comment dire ? Je crois que je me sens juste un peu… un peu comme si on m'arrachait les tripes et qu'on me les collait sous le nez. Ça t'embête si on arrête de danser ?

— Heu, non…

— Désolée, je ne voulais pas de te faire flipper.»

On était de nouveau appuyés contre le mur, avec nos boissons fuchsia à la main.

«Ça va, c'est bon», dit-il.

Mais, bien sûr, il ignorait totalement ce qu'il qualifiait de «bon» dans ce cas précis. George n'en aurait jamais la moindre idée. Il était gentil, honnête et bienveillant ; il deviendrait ce genre d'homme qui s'occupe du barbecue le dimanche, vêtu d'un tablier à carreaux, inconscient des guerres, des famines et des conspirations gouvernementales. Il était tout à fait probable que, de tous les élèves de notre putain de classe, ce soit lui qui mène l'existence la plus heureuse. Alors pourquoi irais-je me mettre en travers de son chemin ?

«George, s'il te plaît, est-ce que tu peux laisser tomber toutes les idées mielleuses que tu te fais sur moi ? Je ne suis pas ce genre de fille. Je n'ai pas envie qu'on me complimente sur ma robe, surtout quand elle ne ressemble à rien. Ce qui est "bon" pour moi se trouve à des milliers de kilomètres de ce qui est "bon" pour toi. Il y a un monde entre nous.»

George ne comprenait toujours pas. Il clignait des yeux nerveusement et beaucoup trop souvent. Il but une gorgée et regarda autour de lui en tâchant de trouver quelque chose à dire. Je soupirai. Je ne savais plus comment m'y prendre pour qu'il saisisse mon point de vue.

«Écoute, il n'y a pas seulement un monde entre toi et moi. Il y a un monde entre moi et tout le reste aussi. Peut-être pas seulement un monde, peut-être même des univers entiers. Je ne pense pas que, dans l'ordre des choses, ma place soit ici. Je pense que quelque

chose a dû déconner. Je pense que mes parents m'ont
conçue par pur accident.

— Tu ne devrais pas être si dure avec toi-même,
répondit-il.

— De quoi tu parles ? Je suis toujours très indul-
gente avec moi-même. »

Je me rendais compte que j'intimidais George,
alors je posai la main sur son épaule et dis :

« Tu vois cette fille, là-bas ? »

Je désignais une fille, assise toute seule sur une
chaise, assez jolie, sauf que ses jambes étaient maigres,
mais pas là où il fallait. Ses chaussures toutes neuves
étaient assorties à sa robe à strass. Il y avait sur ses
joues des paillettes visibles à un kilomètre de distance,
et son rouge à lèvres rose était parfaitement appliqué
sur des lèvres affligées, se sachant apprêtées probablement pour rien.

« Oui, fit George.

— Bon, tu devrais aller l'inviter à danser. »

Il me regarda, un peu désemparé.

« Hester, je ne peux pas simplement… Je ne peux
pas cesser d'éprouver des sentiments pour quelqu'un
et me mettre à en éprouver pour quelqu'un d'autre,
juste comme ça.

— Qu'est-ce que tu en sais ! Essaie au moins.

— Écoute, Hester…

— Je ne rigole pas, là, je suis hypersérieuse. S'il te
plaît, est-ce que tu peux me faire confiance, juste une
fois ? »

Je le regardai s'avancer vers elle, mal à l'aise. Peut-
être que la seule raison qui le poussa à aller jusqu'au
bout, c'était qu'il était terrorisé par la réaction que

30

j'aurais pu avoir sinon. Elle leva les yeux vers lui, ils échangèrent quelques mots et, après avoir regardé autour d'elle, un peu surprise, la fille quitta son siège et ils s'éloignèrent. Je les suivis du regard sur la piste de danse. Je pouvais voir George lui servir son discours habituel, la fille glousser et y répondre comme s'ils avaient répété cette scène plus tôt dans la journée. Son visage exprimait un tel soulagement, après ce que je lui avais fait subir, que sa confiance en lui avait décuplé d'un coup : on aurait dit que l'évolution s'accélérait miraculeusement, et d'une amibe surgit un homme.

Je me traînai jusqu'à un coin sombre à l'écart, où j'allumai une cigarette que je coinçai entre mes lèvres. Je toussai et contemplai d'un regard vide la salle de bal hurlante de musique, assombrie par des silhouettes et des ballons noirs.

À un moment donné, après ma sixième cigarette environ, l'alarme se déclencha.

Tu vas passer un sale quart d'heure, si tu fais la maligne[1]

Ça fait un bon moment qu'aucun membre de la famille Day n'a accompli quoi que ce soit de remarquable. Pendant la prohibition nous n'avons pas consommé d'alcool, et pendant la ruée vers l'or nous ne nous sommes pas rués sur l'or. Il faut croire que cela ne se faisait pas. Nous avons émigré d'Europe il y a très longtemps et j'aime à penser que nous étions différents là-bas, que nous menions des existences marginales, à la poursuite d'idéaux extravagants, et que nous luttions pour accomplir des objectifs singuliers. Sur le sol américain, nous avons toujours été du genre à imposer un respect solennel autour de nous. Un respect si rigide qu'il nous menaçait d'élongation. Nous avons toujours été honnêtes, nos intentions louables, et nos maisons peintes d'un blanc immaculé. Nous étions des gens tout à fait convenables. Ce n'est qu'en y regardant de plus près qu'on aurait pu s'apercevoir qu'il n'y avait aucune raison de nous respecter.

----

1. Le titre de ce chapitre, «Give you the devil if you act kinda hard», est inspiré d'une chanson de Blind Willie McTell intitulée *Your Southern Can Is Mine.*

Je n'ai jamais particulièrement cherché à me démarquer. Mais je suis née, officiellement, par un jour morne d'octobre et, dès cet instant, mes parents surent que j'étais la seule à avoir des gènes qui n'avaient plus vu le jour depuis l'Europe. Maintenant que j'en avais terminé avec l'école, je n'avais plus aucune intention de faire ce qu'on attendait de moi. Le bonheur m'avait tout l'air d'être une recette de cupcake concoctée par le diable. On aurait dit un piège, une drogue, comme de l'héroïne. Il me semblait qu'il faudrait trouver un mot nouveau pour désigner le véritable bonheur et que le chemin qui y menait n'était pas celui que les gens croyaient. Je ne demandais rien d'autre, dans la vie, que d'avoir l'occasion de voir quelque chose qui me perturberait. Ou qui m'équilibrerait, selon le point de vue. Quelque chose de réel. D'aussi tangible que ces vieux disques sur lesquels une voix tourmentée, accompagnée par le crépitement d'une guitare ou par un piano meurtri, donne vie à des chansons enregistrées il y a des lustres, dans des chambres d'hôtel décorées de papiers peints aux motifs étranges, une vie urbaine archaïque rampant derrière la fenêtre. Il y a très longtemps. Le sang, la sueur et les larmes étaient réels et personne n'allait consulter de psy. Les gens savaient tourner les choses joliment : «*Cette nouvelle façon d'aimer, je jure devant Dieu que c'est l'pied. En Géorgie, pas une femme ne laisse Willie McTell se reposer*[1].»

---

1. «That new way of lovin', swear to God it must be best. All those Georgia women won't let Willie McTell rest» est extrait d'une chanson de Blind Willie McTell intitulée *Lord, Send Me an Angel*.

Je m'assis sur mon lit. Au-dessus de moi, pendu à un clou solitaire, mon diplôme, encadré de plaqué or, exhibait fièrement le nom de Ronald Peterson. Selon ma mère, c'était une blague du plus mauvais goût. Moi, je trouvais ça rassurant. Ça me faisait rire. C'était le meilleur souvenir que je gardais de mes années de lycée.

« Hester, pourquoi est-ce que tout est toujours si compliqué avec toi ?

— Je ne sais pas.

— C'est quoi ton problème ?

— Je ne sais pas. »

Mon regard était rivé au sol, dans l'angle droit de ma chambre, là où la porte et la moquette se rejoignaient. Mes parents se tenaient debout, face à moi. Je refusais de m'inscrire à la fac et ma mère me fixait avec des yeux nerveux, injectés de sang, comme dans les dessins animés.

« Je pensais que ça vous faciliterait la tâche, dis-je.

— Que ça nous faciliterait la tâche, mon cul ! »

Je la considérai avec des yeux inexpressifs. Hors de question que je change d'avis.

« Écoute, Hester, en fait, le problème c'est que tu n'as pas la moindre idée de ce dont tu parles, et c'est toujours comme ça avec toi. Tu penses peut-être sincèrement ce que tu dis, mais dans ce cas précis, tu dois absolument nous écouter, ton père et moi. C'est beaucoup trop important : il s'agit de ta vie. »

Soudain, je sus exactement quoi répliquer. Je sus comment le formuler, comment l'énoncer, quel argument avancer pour que tout fasse sens, comment plaider ma cause, la dérouler sur tapis rouge. C'était l'une de ces rares fulgurances qui vous surviennent par hasard.

«Maman, le truc, tu vois…

— Il n'y a pas de *truc*, Hester. Je t'ai déjà dit le seul *truc* qu'il y a.»

La phrase se tortilla dans ma tête comme un ver disséqué. Je l'avais perdue. Je ne me souvenais plus de ce que je voulais démontrer.

«La fac, c'est important.

— Relativement, suggérai-je.

— Non, pas du tout, dit-elle en triturant avec emphase la jambe d'un éléphant en peluche qui traînait sur mon lit. Ce n'est pas relatif. C'est l'université. C'est ce qu'on fait à ton âge. Ça n'a rien de relatif.

— C'est bien plus relatif que plein de trucs.»

Je prenais des précautions pour la contredire.

«La fac, repris-je, c'est juste un endroit où des tas de jeunes vont parce qu'ils se feraient mettre en pièces s'ils osaient poser un pied dans la vraie vie. Les gens s'inscrivent en fac pour pouvoir rejouer depuis le début leurs années de lycée, sauf que probablement ils y apprennent encore moins de choses et qu'ils y prennent encore plus de drogues. À la fin, on leur donne un nouveau bout de papier coloré à encadrer et à accrocher au mur, et plus tard, quand ils seront vieux, ils pourront parler du "bon vieux temps". C'est juste que tout ça ne m'intéresse pas.»

Les sourcils de ma mère s'agitèrent et elle ne feignit même pas de comprendre la moitié de ce que je venais de dire. Chaque fois que je m'évertuais à démontrer quelque chose, j'étais bien consciente que, pour elle, tout ce qui sortait de ma bouche résonnait comme des bips sonores jaillissant d'un robot déglingué.

«Écoute, tout ce que tu essaies de… de me *dire* là, ça n'a rien à voir avec ce dont il est question, rétorqua-t-elle. Je ne vais pas te laisser gâcher ta vie sous prétexte que tu te fais des idées de hippie sur la fac.

— Ce ne sont pas des idées de hippie.

— Hester, vraiment, ce n'est pas drôle. Je suis très sérieuse. Tu n'échapperas pas aux études. Et même si c'est pénible au début, tu nous remercieras plus tard, quand tu seras bien partie dans la vie.

— Tu veux que je fasse mes valises, là, pour aller quelque part où ça va coûter des milliers de dollars de gâcher encore quatre années de ma vie?

— Comment peux-tu dire une chose pareille? Comme si tu avais déjà payé quelque chose toi-même! Tu ne sais même pas ce que c'est, l'argent!

— Peut-être, mais justement, si ce n'est pas mon argent, raison de plus pour ne pas le jeter par les fenêtres.»

On aurait dit qu'elle était sur le point de pleurer. Mais elle était toujours au bord des larmes, de toute façon. Mon père, en revanche, s'en tenait toujours aussi loin que possible.

«Maman, qu'est-ce que ça t'a apporté de faire des études?»

Elle réfléchit un moment. Ma mère était aussi ignorante qu'une poignée de porte, donc ça m'intéressait vraiment de voir comment elle allait s'en sortir avec ça.

«J'ai rencontré ton *père* à la fac», finit-elle par lâcher.

Je ne pus réprimer un sourire mauvais, que je ne savais plus comment effacer de mon visage.

«Ne lève pas les yeux au ciel avec moi», dit-elle.

Je n'avais pas levé les yeux au ciel, en réalité, j'avais trop de jugeote pour ça. Je n'avais plus levé les yeux au ciel devant mes parents depuis au moins quatre ans. En revanche, mon air amusé se manifestait quand bon lui semblait. D'aussi loin que je me souvienne, les gens m'ont toujours dit que telle ou telle chose n'était pas drôle. J'ai soi-disant toujours ri aux mauvais moments ou aux mauvais endroits, mais pour moi il n'existait pas de «mauvais moments».

«Écoute, Hester, si je n'étais pas allée à la fac, tu n'aurais pas d'yeux à lever au ciel en ce moment même. Dis-toi bien ça.

— Ça, c'est de l'argument, maman. On dirait que tu l'as piqué dans un de ces prospectus religieux bizarres. Tu vois ? Ceux que les gens distribuent devant deux églises concurrentes. »

Ma mère arracha la prise du réveil et le balança par la fenêtre. J'accompagnai d'un regard désemparé son vol plané hors de ma chambre. Les discussions se terminaient souvent ainsi : je lâchais une phrase stupide, ma mère jetait un truc par la fenêtre et mon père prenait silencieusement racine sur la moquette, en repensant probablement au moment où sa secrétaire s'était penchée pour ramasser un stylo par terre. Ça faisait longtemps que je n'essayais même plus d'éprouver la culpabilité qu'on attendait de moi, et j'observais la scène comme si elle se déroulait dans une autre maison, à l'autre bout du pays.

«Bon, on se verra à table», dit mon père planté

là, devant la porte de ma penderie, à regarder par la fenêtre, une boisson protéinée à la main, d'un air presque aussi absent que le mien.

Je savais que cela signifiait que j'irais en fac. En fait, mon père n'avait jamais besoin de dire ce qu'il pensait pour assener son avis comme un jugement de la Cour suprême. Je croisai les bras et le regardai sortir de ma chambre avec désinvolture, sans un mot.

Était-ce vraiment aussi simple ? Ne fallait-il que ça, pour planifier le reste de mon existence ? Une boisson protéinée ? Et moi, assise là, sous mon diplôme, je me demandais si mon père croyait vraiment que ce breuvage pastel lui permettrait d'avoir les mêmes abdos que l'homme en photo sur l'emballage… Est-ce ainsi que l'on écrit le futur ?

Je commençais à me sentir carrément moisir sur place et, pendant un moment, j'entretins l'espoir que peut-être je pourrais y faire quelque chose. Mais quoi ? Comment ? Je changeai de position sur le lit, comme si ça faisait une quelconque différence, mais aucune idée ne me vint à l'esprit. Peut-être serait-il plus simple de laisser tomber tous ces efforts que l'on fait pour rester campé sur ses jambes, aussi têtu qu'on peut, face au destin. Était-il possible qu'il soit tout bonnement plus facile de s'accommoder de son sort ? Qui étais-je pour penser que je pourrais me soustraire à ce qui était prévu, de toute façon ? Pourquoi ces rêves de maternelle ne me lâchaient-ils pas ? Les enfants abandonnent généralement l'idée de devenir astronaute, cow-boy, reine ou pirate, bien avant d'ouvrir leurs manuels scolaires de lycée. Et moi ? Des pieds à la tête, j'étais encore une enfant de cinq ans.

D'un mouvement brusque du coude, je fis tomber ma lampe par terre et je suivis du regard l'abat-jour qui s'était détaché du pied.

Plus tard dans la journée, assise en voiture côté passager, j'aperçus par hasard un panneau d'affichage sur lequel deux enfants aux yeux écarquillés me regardaient avec mélancolie, au-dessus d'un slogan : « Tout ce qu'ils veulent pour Noël, c'est une famille. » Je trouvais étrange que les orphelins soient déjà en train de rédiger leur lettre au Père Noël début juillet. Le feu passa au vert, la voiture redémarra et je tournai la tête.

J'observai le visage éteint de ma mère. Le soleil avait commencé à faire fondre ses couches de maquillage superposées. On pouvait voir que tout était mort et enterré dans sa stupide vie, et elle n'en paraissait que trop heureuse.

Et puis je pensai : Pourquoi ne pas adopter un de ces enfants dont la vie est placardée sur des panneaux publicitaires ?

L'idée était assez absurde pour que je puisse m'y accrocher de toutes mes forces. Plus j'y réfléchissais, moins ça avait de sens et plus j'étais ravie.

Cette nuit-là, je demeurai étendue sur mon lit, les yeux ouverts, tandis que des visions m'apparaissaient au plafond. Je voyais exactement à quel point mon existence pourrait être singulière si seulement, chaque fois que mon sourire se déformait, je décidais de cligner de l'œil et de suivre mon instinct. Vous savez, ce genre de sourires qui se dessinent quand on mange des bonbons acidulés ou des cerises aigres ? L'acidité nous fait faire la grimace, mais on a quand même du sucre au coin des lèvres. Ces sourires valent toujours leur pesant d'or. En tout cas pour moi. Quand je souriais comme ça et que le rouge me montait aux joues, je savais que mes idées étaient irréalisables, et c'était bien dommage parce que c'étaient les plus exquises. Jamais je ne poussais mes délicieuses pensées jusqu'au bout. Je pouvais jouer avec, mais pas les mettre en œuvre. Je ne l'avais jamais pu. Je ne l'avais jamais voulu.

Je me tournai et observai l'ombre d'un palmier sur la porte de ma penderie. Comment peut-on réaliser un souhait tel qu'« adopter un enfant » ? Mon but dans la vie n'avait jamais été d'ériger des barricades devant mes parents et d'agiter héroïquement au vent des drapeaux rouges en lambeaux. Et puis un éclair me traversa l'esprit : si, pour une fois, je m'accrochais fermement à ces idées folles, peut-être me sentirais-je alors un peu moins responsable de mon propre malheur.

Putain. J'avais mis le doigt sur quelque chose.

Walnut Street

L'orphelinat le plus proche se situait à la périphérie de la ville. C'était un immeuble en brique de vieille confection, peint en jaune, avec une cour intérieure entourée d'une haute clôture afin d'empêcher les ballons de basket de rouler sur la route. Ça avait l'air bien propre et soigné. Pour être sincère, j'étais un peu déçue. J'avais lu *Oliver Twist* assez souvent pour me faire une idée de ce à quoi un orphelinat devait ressembler, et ce truc était pitoyable. J'aurais tout aussi bien pu me trouver dans une banque pour ouvrir un compte d'épargne. Tout semblait si impeccable et, d'une certaine façon, si distingué que je regrettais à moitié que mes parents ne m'aient pas abandonnée là à ma naissance.

« J'aimerais adopter un gosse. *Un enfant.* J'aimerais adopter un enfant. »

J'étais assise dans un bureau, sur une chaise en cuir vert qui se révéla être du plastique, souhaitant ne jamais avoir dit « gosse ». Une grosse femme se tenait de l'autre côté du bureau. Elle me fixait intensément en jouant avec une agrafeuse. Entre sa carrure et l'imprimé fleuri de sa robe, elle avait une allure gauche, mais la façon dont ses yeux se focalisaient sur moi me donnait envie d'enfouir la tête sous terre comme une autruche. Elle me rendait nerveuse à maints égards, d'autant plus que je venais de me discréditer. J'avais déjà l'impression d'avoir commis un crime.

« Quel âge avez-vous ?

— Dix-huit ans. En octobre. »

Elle n'exprima pas la moindre trace d'affect. Elle ne leva même pas un sourcil, ce qui aurait été la réaction la plus appropriée.

« Donc vous avez dix-sept ans.

— Techniquement, oui. Jusqu'en octobre.

— Il reste quelques mois avant octobre, vous êtes au courant, n'est-ce pas ?

— Bien sûr.

— Bien. L'âge légal pour adopter ici, c'est dix-huit ans.

— Je sais. »

Nous nous observâmes avec une défiance mutuelle.

« Pourquoi avez-vous envie d'adopter ? demanda-t-elle soudain en fronçant intensément les sourcils, comme fascinée.

— J'ai toujours éprouvé le désir d'accueillir quelqu'un chez moi et de lui offrir la vie de famille dont il a été privé. Je pense que chaque enfant a le droit d'avoir sa propre maison, son propre jardin et sa propre balançoire. Chaque enfant a le droit d'avoir des parents à ses côtés, qui porteraient des chapeaux en carton sur la tête pour son goûter d'anniversaire. Chaque enfant a le droit d'entendre la chaîne sportive dans la pièce d'à côté et de savoir que son père est là, en train de regarder un match de basket à la télé. Ou d'entendre une casserole grésiller et de savoir que sa mère est en train de préparer son repas préféré. C'est comme ça que j'ai grandi. Ce cocon d'amour parental m'a permis de devenir ce que je suis. Et je crois tout simplement que personne ne devrait grandir en étant privé de ça. Ça me peine de penser que tant d'enfants ne connaîtront jamais ce sentiment de sécurité, cet amour taillé sur mesure pour eux. »

J'avais dégoté ce speech dans une petite brochure sur l'adoption qui traînait, la veille, à la bibliothèque. Une femme avait adopté un enfant roumain et fait part de son expérience en ces termes. Ça m'avait pris la matinée, mais j'avais finalement réussi à l'apprendre par cœur. Des heures durant je m'étais demandé si ce discours dégoulinait trop de bons sentiments ou si c'était moi qui n'avais pas de cœur, avant de me décider à le ressortir : stratégiquement, ça me semblait le genre de truc capable d'émouvoir des gens normaux.

« Bien, dit-elle, c'est très joliment tourné. »

Après une pause elle ajouta :

« Mais pour ce que j'en sais, vous auriez pu entendre ça quelque part et le retenir.

— Bien sûr. J'aurais pu entendre ça quelque part et le retenir. Techniquement, j'aurais pu entendre quelque part et retenir absolument tout ce que je dis. Et vous aussi. »

Ça ne l'impressionna pas beaucoup.

« Vous êtes mariée ?

— Oui. »

Mon rythme cardiaque s'accéléra et je commençai à avoir chaud au visage. Cet entretien menaçait de me rôtir vivante et j'étais loin de mener ma barque avec prudence.

«Être mariée est un avantage, dans la plupart des cas, dit-elle en sortant une brochure d'un tiroir. Voyez-vous, ces enfants sont très vulnérables, émotionnellement. On ne veut pas les exposer à un environnement instable.

— Oh, je sais.»

La nervosité me rongeait de l'intérieur maintenant et les seules choses sur lesquelles j'arrivais à concentrer mes regards et mes pensées, c'étaient sa taille large et son petit corps dodu qui se déplaçait dans la pièce. Ses jambes épaisses, sa culotte de cheval et la veine bleutée, laiteuse, incrustée dans le gras de son bras.

«Je préfère être honnête avec vous, reprit-elle. Bien que l'âge légal soit fixé à dix-huit ans, jamais je n'envisagerais de laisser quelqu'un d'aussi jeune adopter un enfant. Très franchement, n'y songez même pas. Comme pourrais-je confier la vie d'un enfant à quelqu'un de votre âge? On ne parle pas d'adopter un hamster, là, on parle d'un être humain, qui respire.»

Je n'avais rien à répondre parce que je trouvais son argument valable. Ma sœur, par exemple, avait dix-neuf ans et je ne lui aurais même pas confié la vie d'un rongeur.

La dame soupira, légèrement ennuyée, en regardant par la fenêtre de son bureau qui donnait sur la cour intérieure.

«De toute façon, vous n'avez même pas encore dix-huit ans.

— Je sais bien, mais je comptais sur le temps pour résoudre ce problème-là.»

Reposant brusquement la brochure devant moi, elle déclara :

« Je vous suggère de bien étudier tout ça et de revenir quand vous aurez l'âge légal.

— Merci », répondis-je en tendant faiblement la main pour attraper les feuilles.

Je me dirigeai vers la sortie en empruntant les mêmes couloirs qu'à mon arrivée, le regard attiré par la ligne de dessins d'enfants qui ornaient les murs de chaque côté. J'avais toujours désiré avoir chez moi des murs couverts de dessins d'enfants et je commençais à me demander si le gosse que j'adopterais aimerait dessiner ou pas.

J'étais dans un état d'esprit relativement calme, si l'on considérait que désormais j'allais devoir me marier. Les paumes de mes mains étaient moites à cause de l'entretien avec la grosse dame, et je me sentais légèrement nauséeuse à l'idée de toutes les procédures et démarches nécessaires à l'adoption d'un gamin. Mais le mariage m'apparaissait simplement comme un devoir mécanique, une condition pour obtenir ce qui permettrait de démêler mon existence ; et c'est vraiment cela que je désirais : que tout soit démêlé.

Il ne me restait plus assez d'argent pour prendre un taxi ; j'errai donc dans les rues, ma brochure d'adoption à la main, jusqu'à ce que je trouve un bus. Au final, j'en pris à peu près trois qui allaient dans la mauvaise direction, mais je réussis à monter dans suffisamment de bons pour arriver à la maison à minuit et demi. Juste à temps pour apercevoir ma sœur et un jeune homme que je n'avais jamais vu en train de faire des trucs très intimes contre la porte de chez nous.

«Salut, dis-je en les dépassant.

— Hester! fit ma sœur en poussant un cri perçant. Pour l'amour de Dieu!

— Désolée, Hannah, répondis-je en cherchant mes clés, mais je me suis dit que j'allais passer par la porte pour rentrer ce soir, plutôt que d'escalader la gouttière.»

Ils se dépêtrèrent l'un de l'autre et je me rendis compte qu'en fait je connaissais ce jeune homme: il travaillait au vidéoclub à l'autre bout de la ville.

«Salut, Louis.

— Salut, Hester, ça va?

— Oui. Je pensais que vous étiez juste amis, tous les deux.

— Hester, est-ce que tu peux dégager, s'il te plaît?

— Oui, bien sûr, dis-je en ouvrant la porte.

— Et si Hank apprend un mot de tout ça, quand je serai psychologue je te ferai interner», ajouta-t-elle.

Hank était son petit copain.

«J'essaierai de refréner mon désir de lui en parler la prochaine fois qu'on aura une conversation profonde, Hank et moi, puisque nous en avons régulièrement», répondis-je en levant les yeux au ciel.

J'étais vraiment émerveillée par le niveau de sa connerie, parfois.

«Et au fait, tu ne pourras faire interner personne quand tu seras psychologue; il faut être psychiatre pour ça.

— Peu importe, j'aurai des tas d'amis psychiatres.»

Dès que je pus atteindre ma chambre et m'étendre sur mon lit, la porte s'ouvrit à la volée. Ma mère se tenait sur le seuil, apparemment désespérée, la lumière du couloir découpant un halo autour de sa silhouette.

« Mais où étais-tu passée, Hester ? dit-elle d'une voix basse et grave. J'étais morte d'inquiétude. »

Une fois tous les trois mois à peu près, ma mère avait besoin de se mettre à flipper quand je rentrais tard. Visiblement, là, c'était le cas. Non pas que ça l'intéressait de savoir où je traînais. C'était plutôt pour le frisson de se faire vivre le genre de scènes qu'on trouve dans les *telenovelas* mexicaines. C'était quelque chose qui lui était indispensable pour tenir le coup, quand il n'y avait pas assez de drame dans le reste de son existence.

« Je me suis perdue.

— Tu as eu des relations sexuelles, c'est ça ?

— Non, pas vraiment. Je me suis perdue. »

Elle fendit la chambre tout droit jusqu'à ma fenêtre et regarda à travers, théâtralement.

« Hester, je pensais que nous étions d'accord pour en parler avant que tu ne passes à l'acte. »

Allez, c'est reparti.

« Qu'est-ce qui ne tourne pas rond chez toi en ce moment ? poursuivit-elle. Tu n'es quasiment jamais à la maison, tu traînes dehors jusqu'à pas d'heure, et maintenant ça !

— Maman, je me suis juste trompée de bus deux ou trois fois. »

Elle se retourna.

« Il ne t'a pas proposé de drogue, hein ?

— Non.

— Hester, tu ne devrais pas toucher à la drogue. Tu as une personnalité addictive et tu passerais de la marijuana à l'héroïne en moins de deux. Est-ce que tu m'écoutes, au moins ?

— Oui, oui, j'écoute, je ne fumerai jamais d'herbe, ne t'inquiète pas.

— Je suis sérieuse.

— Moi aussi. »

Un léger sourire flottait sur son visage. On avait toujours l'impression que sa jeunesse lui revenait en mémoire chaque fois qu'elle évoquait la question de la drogue.

« Laissons ton père en dehors de ça », conclut-elle dans l'embrasure de la porte.

J'acquiesçai.

C'est comme ça, on n'y peut rien

La bibliothèque se dressait, chagrine, dans la chaleur de midi, telle une cause perdue. Les seules personnes qui semblaient en profiter étaient une poignée de représentants du troisième âge et l'intégralité des clochards de la ville qui venaient traîner chaque jour sur Internet ou se prélasser en lisant des magazines. Il y avait parfois un étudiant venu faire une recherche sur la Boston Tea Party ou quelque autre événement tout aussi barbant de l'histoire américaine.

À l'intérieur, la température descendait presque en dessous de zéro. Il y avait des motifs moches sur la moquette, quelques tables et chaises qui semblaient avoir été empruntées à une prison, des rangées d'étagères en métal se dressant du sol au plafond et qui s'étendaient en longueur jusqu'au mur. C'était la section « fiction ».

La section « non-fiction » se situait au second étage : on y trouvait les ordinateurs, les biographies, la poésie, les disques et les magazines. Tous les gens qui se rendaient au deuxième étaient passionnés par des sujets très pointus ou, à l'extrême inverse, abusaient de la bibliothèque pour consulter leurs mails et lire des magazines. Je me demandais souvent à quelle catégorie j'appartenais, mais je ne pus jamais trancher. Quand je me dirigeais vers les rayons qui contenaient des informations sérieuses, c'était généralement pour rechercher des trucs si bizarres et si détaillés qu'on ne pouvait décemment les qualifier de sérieux. Et quand je me faufilais pour feuilleter des magazines colorés, je n'étais pas assez captivée par la lecture pour que mon activité puisse être considérée comme intensément superficielle. Visiblement, la question de la profondeur est relative.

J'appelai l'ascenseur et reculai d'un pas. Derrière moi se tenait Philosophie-Man. C'est ainsi que j'avais fini par le surnommer. Il passait toujours des heures au deuxième étage à essayer de trouver sa voie entre les théories philosophiques et l'art poétique, ou un truc du genre. Je lui avais posé la question une fois mais il m'avait larguée avant d'arriver à la troisième phrase.

« J'ai déjà appuyé, dit-il en désignant le bouton d'ascenseur.

— Cool.

— Ce que je dis, c'est que je ne pense pas qu'il soit nécessaire d'appuyer deux fois.

— Bah, je ne savais pas.

— En fait, me voir ici, en train d'attendre l'ascenseur, aurait dû te permettre de déduire que j'avais déjà appuyé sur le bouton. Ce n'est pas comme si les gens restaient debout devant les ascenseurs juste pour le plaisir. »

Il était toujours comme ça. Il n'avait peut-être que quelques années de plus que moi, mais il se comportait comme si trente ans nous séparaient. Il était toujours vêtu de couleurs sombres et ses habits paraissaient plus adaptés à une expédition au pôle Nord qu'à un été suffocant. Jamais de manches courtes, et j'étais prête à parier qu'il aurait préféré affronter un peloton d'exécution plutôt que d'enfiler un short. Il portait des chaussures démodées et aimait bien se couvrir la tête pour cacher ses cheveux blond paille. Son visage était probablement aussi pâle que le mien, mais au moins mes joues avaient une teinte orangée, tandis que le sien était uniformément blanc. Des ombres sombres se dessinaient sous ses yeux. Il avait l'air anachronique, comme quelque chose dans un garde-manger qui aurait dépassé la date de péremption.

Ses remarques étaient toujours tranchantes comme des lames de rasoir et parfaitement inutiles, pourtant je ne m'en formalisais pas parce qu'elles me distrayaient, en fait. Et surtout, je trouvais ça cool de m'amuser à ses dépens. Il détestait qu'on s'amuse à ses dépens, ce qui rendait le jeu encore plus intéressant. Peut-être étais-je vraiment aussi immature qu'il le pensait. L'ascenseur se faisait toujours attendre. J'entrepris d'appuyer plein de fois sur le bouton.

« Je ne pense pas que ça le fera venir plus vite.

— Et donc ?

— Et donc, pourquoi tu fais ça ?

— Parce que, dis-je en souriant.

— Eh bien, ça ne sert à rien.

— Je sais, mais on vit dans un pays libre.

— Putain, tu es sérieuse, là ?

— Oui. »

Au même moment, l'ascenseur s'ouvrit.

«Ah, tu vois ! m'exclamai-je en entrant. Ça a marché.»

Il me suivit.

«Il était déjà en train d'arriver.»

Il n'ajouta rien. Lorsque les portes s'ouvrirent à nouveau, il fonça droit vers le rayon des essais littéraires tandis que j'amorçai un virage net vers les ordinateurs.

«Avez-vous réservé? me demanda la dame derrière le guichet.

— Non, je n'ai pas eu le temps. C'est totalement impulsif, comme besoin. En fait, c'est une urgence.

— Eh bien, peut-être, fit-elle, mais je ne peux pas vous donner accès à un ordinateur dans l'immédiat, parce qu'il y a déjà des gens inscrits, ici sur ma liste. La prochaine place se libère dans une heure. Vous voulez vous inscrire?

— Je sais que vous ne me croyez pas, mais le problème c'est que je ne déconne pas du tout, dis-je. J'ai des recherches à faire. Je me suis fourrée dans une drôle de situation l'autre jour, vous voyez…

— Mademoiselle, s'il vous plaît, vous n'avez qu'à inscrire votre nom et utiliser un ordinateur quand ce sera votre tour, vous voulez bien?»

Je reculai dramatiquement.

«Non, j'ai bien peur que dans une heure, ce soit beaucoup trop tard. Mais merci quand même. Oh et puis je suis désolée d'avoir dit "merde" tout à l'heure, ça m'a échappé.»

Je m'éloignai furtivement et attrapai un livre sur la faune et la flore nord-américaines. Quelque part dans un coin de ma tête il m'apparut que je n'avais même pas dit «merde». Tant pis. J'imagine qu'on n'est jamais trop prudent avec ce genre de choses, dans cette ville. J'emportai le livre sur la faune et la flore au fond de la bibliothèque et m'assis résolument entre deux remparts d'étagères. Le volume était ouvert sur mes genoux. Je scrutai pendant un moment la photo d'une marmotte, sans lire quoi que ce soit. Je n'ai jamais vraiment compris ce qui me poussait à prendre des livres et à aller m'asseoir dans ces coins perdus de la bibliothèque. Probablement du sentimentalisme teinté de mièvrerie : la compagnie de ces bouquins m'apaisait. Je commençais tout juste à m'en vouloir d'avoir contracté une habitude aussi banale quand, levant les yeux, je croisai le regard fixe de Philosophie-Man incliné vers moi.

«Hey», dis-je, apathique.

Il leva les yeux au ciel avec autant d'indolence que j'en avais mis dans mon salut.

«Qu'est-ce que tu fais ici ? demanda-t-il.

— Moi ? Qu'est-ce que toi, tu fais ici ? Je pensais que tu t'intéressais à la littérature et tout ça…

— C'est exact.

— Ben, c'est le rayon médical, là.

— Et… ?

— Et tu n'es pas malade, si ?

— Je suis hypocondriaque. Pas besoin d'avoir des maladies, je me contente de les fantasmer.

— Ah.

— Et puis j'aime bien les livres d'anatomie. Je m'en sers pour mes poèmes.

— Ah, dis-je en opinant du chef, pensive. Ouais, tu as une tête à écrire des poèmes.

— Eh bien, excuse-moi d'être un cliché, marmonna-t-il.

— Oh, ça ne me pose aucun problème. »

Nous entreprîmes de nous ignorer mutuellement pendant un certain temps.

« Pardon, j'ai besoin d'accéder à ces livres », reprit-il soudain en toussotant.

Je m'écartai et le regardai parcourir impatiemment les titres du bout des doigts. Dans ma tête je commençais à me demander si je ne devrais pas plutôt le surnommer Médical-Man désormais.

« Hypocondriaque, hein ? Et c'est quoi la maladie qui t'angoisse le plus ? »

Mes petites tentatives pour me divertir à ses dépens paraissaient l'agacer, mais d'un autre côté il ne savait que trop bien ce qui l'angoissait le plus.

« Le cancer du poumon. »

Après une courte pause, il ajouta :

« Et les crises cardiaques, je crois, mais seulement parce qu'en général elles sont totalement imprévisibles. Il peut aussi m'arriver de m'inquiéter en pensant à la candidose, mais c'est rare. Le pire, c'est le cancer du poumon.

— Me taper une paranoïa sur le cancer du poumon, c'est un truc que je ne peux pas me permettre.

— Tu fumes ?

— Comme une cheminée (j'exagérais très largement, mais il me semblait que c'était le truc à dire à ce moment-là pour garder un bon tempo dans la conversation).

— Bon, ne me respire pas trop dessus alors », dit-il.

Je m'empressai de lui respirer dessus.

«Arrête !»

Je ris, puis m'arrêtai d'un coup et le fixai en écarquillant les yeux.

«Tu crois vraiment qu'en soufflant sur ton genou, je mets ta santé en danger?

— Je crois qu'en respirant n'importe où à moins de dix kilomètres de moi, tu mets ma santé en danger.»

Je me levai.

«Bon, je vais aller respirer ailleurs. À plus, Philosophie-Man.»

Ce soir-là, alors que j'attendais que ma sœur sorte de la salle de bains, il me vint à l'esprit que Dieu était peut-être en train de me souffler une idée. Non pas que je crusse en son existence, mais il me semblait qu'il serait amusant de considérer la situation d'un point de vue religieux. Il y avait quelque chose de très attrayant dans cette vieille croyance du Sud, bien enracinée et imprégnée de pile ce qu'il fallait de superstition pour la rendre intéressante. Aussitôt, j'éprouvai cette chaleur enfantine qui se diffuse dans l'estomac quand la magie entre en jeu.

Enfin la porte s'ouvrit et, auréolée de vapeur et de parfum chimique à la pomme, ma sœur sortit à grandes enjambées, une serviette enroulée autour de la tête.

«Eh, je viens d'avoir une révélation, lui dis-je.

— Quoi?»

Elle avait pris un air offensé.

«Je viens de recevoir un signe du ciel. Dieu m'a envoyé un signe. Je suis entrée en contact avec Lui.»

Elle cligna des yeux comme si je l'éblouissais avec un miroir.

« Hester, mon Dieu, tu es complètement tarée, est-ce que ça t'a déjà effleuré l'esprit ?

— Eh bien…

— Et tu sais que je déteste ça, quand tu attends devant la porte de la salle de bains. Ça ruine la dimension intemporelle de la douche.

— Qu'est-ce que tu entends par "dimension intemporelle" ?

— Laisse tomber, d'accord ? Laisse tomber. »

Bon, peu importe. En ce qui me concernait, je venais d'accoucher d'une idée brillante et je m'en réjouissais d'autant plus que je faisais mine d'être une fanatique religieuse. Ce n'était plus seulement une idée : c'était désormais une illumination.

Le lendemain, j'étais de retour à la bibliothèque.

« Hey ! »

J'interpellai Philosophie-Man après l'avoir aperçu en train de prendre des notes, assis à l'une des tables les plus à l'écart de la section « sciences humaines ».

Il leva les yeux et, voyant qu'il s'agissait de moi, se replongea dans ses notes.

« Qu'est-ce que tu fais ? demandai-je en m'installant à côté de lui.

— Je travaille.

— C'est bien. »

Je le regardai gribouiller des trucs. J'observais les mots se former sur son bloc-notes, sans prendre la peine de les lire.

Il s'interrompit.

« Tu voulais quelque chose en particulier ?

— Justement, oui. »

Je réfléchis un moment.

«Tu veux que je te dise ça cash ou tu préfères qu'on parle d'abord de tout et de rien, histoire de se chauffer?»

Il soupira et focalisa toute son attention sur moi.

«Laisse tomber les préliminaires.

— Ok.»

Je me penchai sur la table.

«Bon, j'ai pensé qu'on devrait peut-être se marier. Je vais avoir dix-huit ans en octobre, donc on pourrait faire ça après le 7. Qu'est-ce que tu en penses?»

Il m'observa longtemps, avec concentration. Ses sourcils s'affaissèrent sur ses yeux, puis se relevèrent, et sa paupière droite se mit à trembler.

«Pardon? demanda-t-il au bout d'un long moment.

— Je disais: je pense qu'on devrait se marier.

— Pourquoi?»

Je haussai les épaules.

«Pourquoi pas? Y a-t-il vraiment une bonne raison de ne pas se marier?

— D'innombrables bonnes raisons.

— Comme quoi?

— Et si je te tue, par exemple…»

Je balayai son inquiétude:

«Et si un troupeau de taureaux sauvages s'échappe du zoo et nous piétine tous les deux? Et si je m'étrangle avec un noyau d'olive et qu'en toussant je te le projette à la gueule avec tellement de force que ça t'abîme la vue pour toujours? Écoute, il vaut mieux laisser tomber tous les "Et si…", ça ne peut que rendre fou.»

Il ne répliqua pas mais il avait l'air un peu perturbé.

« Tu as déjà entendu parler d'un mariage idéal, toi ? poursuivis-je. Ça n'existe pas. Nous n'allons pas bouleverser l'ordre des choses. On se débrouillera, comme les autres. »

Pendant un moment, son regard erra sur les feuilles de papier éparses entre ses livres, puis il revint sur moi. Il semblait perdu.

« Est-ce que c'est ta vision puérile du coup de foudre ?

— Rien à foutre du coup de foudre ! On sait tous les deux que ce n'est qu'un mythe. Ce que j'essaie de te dire, c'est que tout serait hypersimple ! Il n'y aurait rien à faire, littéralement.

— Je pensais que le mariage, c'était un truc profond et religieux.

— Je ne suis religieuse que pour de mauvaises raisons et je ne pense pas être quelqu'un de profond. »

Il leva les yeux au ciel et se remit à prendre des notes.

« Alors ? demandai-je en me penchant sur son visage.

— Alors quoi ?

— Est-ce que tu veux m'épouser ?

— Non. Bien sûr que non. Laisse-moi tranquille, maintenant. »

Je le regardai droit dans les yeux.

« Tu es sûr ?

— S'il te plaît, fais-moi plaisir et ne viens pas à la bibliothèque de toute la journée, demain. Lâche-moi, juste une journée. »

Je le fixai encore quelques secondes, puis je me levai. Je ne vous cache pas que j'étais un peu déprimée. J'essayais de comprendre pourquoi quelqu'un refuserait de m'épouser. Bien sûr, plein de raisons me venaient à l'esprit et elles étaient toutes solides comme du chêne, mais ce n'était pas ce qui m'intéressait. Je voulais savoir comment un autre être humain pouvait me rejeter d'une façon si franche et sans appel.

Petite, t'es accro [1]

J'attendis jusqu'au mercredi avant de franchir à nouveau les portes automatiques de la bibliothèque. J'avais exaucé la prière de Philosophie-Man en me tenant à l'écart toute la journée du mardi. Je comptais même lui accorder un jour de plus, par pure gentillesse. Et je faillis y parvenir, mais l'après-midi avait atteint un pic de chaleur : le goudron sur la route semblait lourd et chaud, mes mains désœuvrées s'agitaient nerveusement sur mes genoux et j'imaginais que j'entendais le tic-tac de l'horloge du rez-de-chaussée se mêler au son de la télé que regardait ma mère. Je n'avais d'autre option que de bondir sur mes pieds et dévaler l'escalier.

« Où vas-tu ? » demanda ma mère.

Je répondis que j'allais à la bibliothèque.

« Oh, la "bibliothèque" », railla-t-elle.

Elle se plaisait à croire que mes allées et venues à la bibliothèque cachaient en réalité d'outrageuses visites à un membre du sexe opposé, très certainement le batteur d'un groupe sans talent qui vendait

---

1. Le titre de ce chapitre, « Kid, you're hooked », est inspiré d'une chanson de Tom Waits intitulée *Crossroads*.

de la drogue au fond de son garage. Je lui avais dit un jour qu'il était physiquement impossible que je perde ma virginité aussi souvent, mais après avoir compris que ça l'apaisait d'être une mère inquiète, je finis par renoncer. Et depuis, je la laissais se faire autant de souci qu'elle voulait pour mon innocence sexuelle.

« Évidemment, dis-je, à la "bibliothèque". »

Je fonçai vers la section « musique » et passai en revue environ deux cents albums de chants de Noël, datés des années 1950 et 1960. Je tombai sur un disque que j'aurais probablement emprunté si je n'avais pas eu autant de points de pénalité sur ma carte d'abonnement. Je contemplai sa jaquette un moment puis le rangeai, d'une part parce que je devais pas mal d'argent à la bibliothèque, et d'autre part parce que je n'avais pas de platine pour l'écouter, de toute façon.

Encore une journée gâchée. Si au moins j'étais arrivée plus tôt, j'aurais pu convaincre un des clochards de me laisser utiliser son ordinateur. La seule chose qui me consolait à présent, c'était de m'être tenue à l'écart de Philosophie-Man. Ça me procurait la sensation d'être une sorte de sainte. Il voulait tellement m'évincer de sa misérable petite vie que, de fait, demeurer loin de lui me renvoyait une image très noble de moi-même. Et pourtant, aussi triste que cela puisse paraître, épouser Philosophie-Man m'avait semblé être l'idée rêvée. Dans une certaine mesure, il m'était pénible de devoir m'en défaire. Comment allais-je me débrouiller pour trouver un mari avant mon dix-huitième anniversaire ?

Je me levai. Mes genoux étaient rouges et doulou-

reux parce que, tout ce temps, j'étais restée agenouil-
lée sur la moquette. Je me dirigeai vers les escaliers,
pour être sûre de ne pas le croiser dans l'ascenseur.
Le truc marrant, c'est que, dès que j'ouvris la porte
de la cage d'escalier, je me retrouvai nez à nez avec
Philosophie-Man, bouche bée.

Nous reculâmes tous deux avec un mélange de
culpabilité et de surprise.

« Pourquoi tu prends les escaliers ? lui demandai-je.

— Pourquoi *toi*, tu prends les escaliers ?

— Pour être sûre de ne pas tomber sur toi.

— Je ne prends pas toujours l'ascenseur, tu sais.

— Eh bien, dis-je sur la défensive, j'ai fait du
mieux que j'ai pu ; hier, je ne suis pas venue du tout
et aujourd'hui, je suis arrivée tard et je suis restée au
rayon disques, je sais que tu n'y vas jamais, donc j'ai
rempli ma part du contrat. Ce n'est pas ma faute si tu
as pris les escaliers. »

Il me regarda et il était évident que la moitié de ce
que je venais de débiter triomphalement n'avait pas
atteint ses tympans, parce que toute son attention
s'était focalisée sur un point précis de mon discours.

« Qu'est-ce que tu racontes ? dit-il. J'aime bien faire
un tour au rayon disques de temps en temps. Qu'est-ce
qui te fait croire le contraire ? J'écoute constamment
de la musique. »

Il y eut un autre silence.

« Tu es hors sujet, là, fis-je remarquer.

— Quel est le sujet, alors ?

— Le sujet c'est que… le sujet, c'est que je m'en
fous que tu ne veuilles pas m'épouser. Je n'ai aucun
reproche à te faire, je ne vais pas te prendre secrète-

ment en photo et la faire imprimer sur un T-shirt ou je ne sais quoi. Je ne t'aime même pas. J'ai juste pensé que ce serait cool de se marier, c'est tout. »

La concentration lui fit froncer les sourcils. Parfois, il était difficile de discuter avec lui, à cause de cette putain de façon qu'il avait de se concentrer si fort sur quelque chose qu'on venait de dire. Il vous donnait la sensation que vous devriez avoir honte de certains aspects de votre propre personnalité, sans savoir lesquels.

« Les gens ne se marient pas juste parce que ça serait "cool" », dit-il.

Pour une raison ou pour une autre, j'éprouvais un peu de pitié pour lui, mais je suppose que ce qui me démangeait encore plus, c'était de lui coller un uppercut impeccable dans la gueule, de préférence au ralenti.

« Écoute, je ferais mieux d'y aller, répondis-je. Je viens juste de fumer une cigarette, et je suis sûre que je suis en train d'expirer des résidus de nicotine sur toi. »

Il ne dit rien et je le dépassai en coup de vent. Une fois que je me trouvai dehors et que les portes automatiques se furent refermées derrière moi, je fixai gravement l'horizon en plissant les yeux. J'hésitais entre rentrer à la maison pour réfléchir à un moyen de me trouver un mari et engager la conversation avec l'un des clochards étendus sur l'herbe. La bibliothèque était entourée d'un parc dans lequel les sans-abri en train de se faire bronzer ne manquaient pas.

Je décidai d'aller saluer F, un clochard que je connaissais depuis un bon moment maintenant. Il avait travaillé au service de sécurité de la Maison Blanche mais il n'avait pas pu gérer la pression et il avait atterri ici, dans le parc, avec une petite télé portable sur laquelle les images apparaissaient en nuances de vert. Il se faisait désormais appeler F pour s'enfoncer encore davantage dans l'anonymat. C'était un théoricien du complot, la personne idéale pour faire un brin de causette par un après-midi triste et humide.

« Salut, F !

— Salut gamine, dit-il en roulant sur la couverture qu'il avait étendue au pied d'un palmier.

— Quoi de neuf ?

— Heu…, fit-il d'une voix traînante. Rien n'est jamais neuf. Les choses sont toujours les mêmes. On va tous y passer. Doucement, mais sûrement. »

C'était le pessimiste le plus joyeux de la terre. Il assenait ses prédictions avec un sourire innocent.

« Ouais, c'est clair.

— La seule façon de s'en sortir aujourd'hui, c'est de mener une vie sans ambition. T'étendre sous un arbre et te soucier d'un seul truc : comment payer ton prochain burger. Avec ce genre de question, tu préserves ta santé mentale. C'est plus sain que de se demander si quelqu'un quelque part va appuyer sur un bouton rouge et envoyer au ciel toutes les créatures du bon Dieu. »

Il m'adressa un large sourire, révélant quelques trous au milieu de sa dentition jaunâtre. Ah, ça, l'angoisse, c'était son truc ! Cet homme savait s'y prendre pour vous expédier dans les limbes sombres du crépuscule.

« Tiens, de l'argent pour ton prochain burger, dis-je

64

en lui tendant quelques dollars. Ça fera une question de moins à te poser.

— Tu sais que tu es la seule personne bien dans toute cette ville ? »

J'envoyai au diable son compliment.

« Peut-être qu'un jour on pourra régler l'autre problème, celui du champignon atomique », ajoutai-je.

Tout en mettant l'argent que je lui avais donné dans sa chaussure, il me lança soudain un regard alerte et perçant.

« Bon, tu sais ce qu'on dit à propos… »

Mais avant qu'il puisse aller plus loin, quelqu'un l'interrompit d'un « Salut ! » sonore et égotique. Le genre de voix que les fermiers utilisent pour faire rentrer les cochons au hangar. Je me tournai et aperçus Philosophie-Man trois pas derrière moi, mains dans les poches, livres sous le bras et bonnet noir sur la tête.

« Ça va, depuis le temps ? » lançai-je.

Il ne tenait jamais vraiment compte de mes remarques et allait toujours droit au but.

« Quand tu as dit qu'on devrait se marier, il y a quelques jours, tu étais sérieuse, n'est-ce pas ?

— Évidemment. Tu crois que je me balade en demandant les gens en mariage pour le simple plaisir de poser la question ?

— Parce que bon, écoute…, poursuivit-il, je travaille sur un nouveau projet. C'est un genre de poème épique, en fait. Il aura la longueur d'un roman moyen, mais il sera entièrement écrit en vers. Bref, le titre provisoire c'est *Greffe de cœur* et ça raconte l'histoire d'un mariage mouvementé entre le narrateur et une femme qui est un peu lente d'esprit. Elle n'est pas vraiment attardée au sens médical du terme, mais elle a l'âge mental d'une enfant de dix ans, donc elle est "à part", on pourrait dire. »

Je hochai la tête. F nous observait et semblait trouver suffisamment d'intérêt à la conversation pour ignorer les sons stridents en provenance de son écran de télé. Philosophie-Man poursuivit :

« J'aime travailler à partir d'expériences vécues. J'ai l'impression que si tu traverses toi-même ce genre d'épreuves, il y a plus de chances que tu arrives à les transcrire sur papier avec une certaine légitimité. Je veux dire, j'aimerais parfaitement comprendre de quoi il retourne quand je parle de frustration. Il faut que ce soit réel. Quand les gens liront *Greffe de cœur*, je veux qu'ils grincent des dents. Et j'ai pensé que ta proposition arrivait à point nommé, du coup. »

Je crois que j'en suis restée sans voix un bref instant. Les mots refusaient de se matérialiser dans ma tête et plus encore dans ma bouche. Je me contentais de rester là, face à lui, et de le fixer.

« Eh ben, dit F comme pour répondre à ma place, ça me troue le cul ! »

C'était plus ou moins ce que j'étais en train de me dire.

« Qu'en penses-tu ? demanda Philosophie-Man en me regardant, et ses yeux d'un bleu pur me brûlaient le visage. Ça t'intéresse ? »

Je haussai les épaules.

« Ouais, bien sûr, si tu veux. Mais est-ce que tu crois que j'ai vraiment ce qu'il faut pour jouer le rôle de l'épouse attardée ? »

Il m'envoya en pleine gueule un sourire sincère et radieux.

« Ne t'en fais pas, tu seras parfaite. »

Je n'étais pas sûre que ce soit un compliment, mais pour la première fois il me souriait, et je me sentais trop bien pour m'inquiéter de ses intentions.

« Parfait, j'imagine qu'on est fiancés alors, hein ?

— Oui, je suppose, dit-il. Écoute, je dois y aller, là. Tu m'as dit le 7 octobre ?

— Oui, c'est le jour de mon anniversaire.

— Ok, le 7 octobre, alors. »

Il fit demi-tour et je le regardai s'éloigner vers le parking. Avant d'être trop loin, il se retourna pour planter ses yeux dans les miens une dernière fois.

« Comment tu t'appelles, au fait ?

— Hester.

— Et ton nom de famille ?

— Day. »

Il réfléchit un moment, anticipant sans aucun doute dans quelle mesure ce nom parviendrait à s'incorporer dans son génial poème épique. Après avoir fixé le vide quelques secondes, son visage se ranima.

« Moi, c'est Fenton Flaherty. »

Et là-dessus, il disparut à l'angle de la rue. C'était la fin de Philosophie-Man. Le début de Fenton. Je demeurai étourdie par l'étrange portée de ces dernières minutes.

« Eh bien, j'ignorais qu'il y avait quelqu'un de si pressé de te mettre dans son plumard », dit F, brisant la délicatesse du moment par un rire rauque qui se transforma en toux et finit en éclats de morve sur l'herbe.

Je niai sur-le-champ.

«Crois-moi, ça n'a rien à voir avec son plumard.»

Le clochard sourit pour lui-même avec autoconviction et retourna à son écran.

«Comme la vie peut être diablement romantique malgré tout, murmura-t-il, plus pour lui que pour moi.

— Oh, cela a encore moins à voir avec du romantisme, répondis-je. Je l'ai seulement demandé en mariage parce que j'ai besoin d'un père pour mon enfant adoptif et, s'il a accepté, c'est uniquement parce qu'il a besoin d'être marié à une attardée. Donc zéro romantisme là-dedans.

— Bien sûr que si. Bien sûr que si. Tu verras.»

7 octobre

Ça peut faire bizarre de se réveiller un matin et d'avoir dix-huit ans. Mais pas nécessairement. Avoir un an de plus, ça ne change pas grand-chose, en réalité. Ce jour-là, on tombe du lit comme n'importe quel autre jour. On se regarde dans le miroir de la salle de bains, une brosse à dents à la main, les paupières lourdes de sommeil, comme d'habitude. On a les joues rouges à force d'avoir cuit sous la couette toute la nuit, les lèvres sèches, la peau pâle, les cheveux emmêlés comme lorsqu'il y a du vent. Aucune différence avec la veille, quand on fumait des clopes illégalement.

Je sortis deux élastiques et entrepris de tresser mes cheveux en deux grosses nattes derrière chaque oreille, que je laissai tomber sur mes épaules. Je maquillai minutieusement mes cils jusqu'à ce qu'ils soient bien recourbés et d'un noir intense. J'enfilai la seule robe qui ne gisait pas dans mon panier à linge sale. Il se trouve que c'était une robe à manches courtes qui m'arrivait aux genoux, en maille d'un vert éclatant, avec un nœud sur l'épaule droite travaillé au crochet. Peut-être n'était-ce pas la robe la plus appropriée pour l'occasion, mais il n'y avait pas moyen que je fasse ma lessive sous prétexte que je m'apprêtais à remplir un certificat de mariage.

Je poussai le battant de ma fenêtre et grimpai sur le toit. Une partie de la toiture plongeait en pente jusqu'au garage et, de là, il était possible de sauter sur l'herbe sans trop se blesser; il suffisait de se relever, de secouer la terre sur ses genoux et de s'éloigner en catimini. C'était très probablement la meilleure option que notre maison avait à offrir. Il n'y avait aucune autre façon de quitter les lieux sans entendre: « Où tu vas ? »

Dans le parc, assis sur un banc, Fenton lisait un de ces pavés dont les bibliothèques ne font l'acquisition que pour remplir les espaces vides sur les étagères. Je ne comprenais pas pourquoi il se donnait tellement de peine pour avoir l'air si prétentieux. À côté de lui traînaient un sac en plastique froissé et un cahier jaune sur lequel reposait sa main droite, fébrilement armée d'un stylo.

Depuis que nous nous étions « fiancés », il m'était arrivé de croiser Fenton à la bibliothèque, mais nous n'avions jamais évoqué le 7 octobre. Je ne crois vraiment pas avoir échangé plus de quelques mots avec lui à ce sujet et, honnêtement, il n'y avait pas grand-chose à dire. La question du mariage était déjà réglée et il était peu probable que l'un de nous change d'avis. Pourquoi aurions-nous fait marche arrière ? Nous ne prenions pas la chose assez au sérieux pour hésiter. Ce mariage était une porte de sortie. Ou bien une porte d'entrée. Ou alors un énorme bonbon saturé de colorant artificiel: ni l'un ni l'autre nous ne savions à quoi nous attendre, à l'époque… Mais quoi qu'il en fût, j'y voyais une raison suffisante pour me diriger vers la bibliothèque, vêtue d'une étincelante robe verte, le jour de mon anniversaire.

Je m'arrêtai derrière un arbre et observai Fenton feuilleter son livre nerveusement, comme s'il cherchait à tout prix à retrouver un paragraphe bien précis. J'étais quasiment certaine à trois cents pour cent qu'il serait plus prudent d'épouser une bombe au plutonium. Et sans doute plus satisfaisant, romantiquement parlant, d'épouser un tournevis. Mais, pour une raison qui m'échappe, le fait qu'on soit sur le point de se marier ne me semblait pas si aberrant. J'aurais été incapable d'expliquer ce sentiment, évidemment. Ce que je savais en revanche, c'est que de tous les gens qui peuplaient la ville, le seul à me convenir, c'était ce connard. Ça avait peut-être quelque chose à voir avec le fait que nous n'étions pas des étrangers l'un pour l'autre ; j'imagine que cette sensation de familiarité est assez rare. Nous nous connaissions depuis que nous faisions ensemble la queue à l'accueil de la bibliothèque, ce qui devait remonter à mes treize ans. Il y avait cinq ans de cela. Je me souvenais de la première fois que je lui avais adressé la parole :

« Tu empruntes ces livres pour caler un meuble ? »

Il avait tourné la tête lentement et répondu :

« Non.

— Ben, on dirait que tu peux assommer quelqu'un avec ça. »

L'expression pubère de Fenton était si revêche qu'il avait l'air bien plus vieux que son âge.

« Bon, écoute, c'est pas pour toi que je les

emprunte, donc tu peux tranquillement continuer à vivre dans ton petit monde de *Seventeen Magazine.*»

Je portais une pile de livres sur les poissons rouges et je n'étais même pas au courant qu'il existait des gens qui publiaient pour de bon un magazine exclusivement destiné aux ados de dix-sept ans.

«Et tu peux tranquillement continuer à vivre dans *Les Coulisses du haïku moderne.* Comme ça, chacun chez soi et on est en sécurité tous les deux.»

Le truc, c'est que j'aimais bien Fenton. Je l'appréciais comme quelqu'un apprécierait un voisin épileptique qui piquerait une crise de temps à autre sur sa pelouse. Et ce sentiment était bien plus légitime que toutes les raisons qui poussent habituellement les gens à marcher vers l'autel. Il n'y avait rien de mal à se marier. Nous formions un couple convenablement assorti. Bon, peut-être que «convenable» n'est pas techniquement le terme exact, et alors? Ce serait un genre d'union forgée par un orfèvre diabolique.

«Hey!» dis-je en me glissant à côté de Fenton sur le banc.

Ses yeux ne décollèrent pas d'un paragraphe surligné dans le livre sur ses genoux.

«Pourquoi tu persistes à employer ce salut de cow-boy pour dire bonjour? demanda-t-il.

— En fait, il a été scientifiquement prouvé que les cow-boys ne sont pas les seuls à l'employer.

— C'est quoi le truc qui cloche avec ta robe? demanda-t-il en rassemblant ses affaires.

— Je ne sais pas, dis-moi.

— Elle est verte, putain.

— Exact. Tu vas t'en remettre?

— J'essaierai. »

Le soleil nous cognait dessus alors que nous marchions vers le parking. Les toits de toutes les voitures luisaient douloureusement, les arbres faisaient les morts et les clients léthargiques d'un centre commercial titubaient jusqu'à leur voiture, accrochés à leur sac plastique comme à une bouée de sauvetage. Les enjambées de Fenton étaient longues et impatientes ; je restais loin derrière, m'efforçant de le rattraper. À toute heure du jour, il était noyé dans des dilemmes et des ambitions personnelles. Je n'avais aucun moyen de l'atteindre. Attention, je ne dis pas que j'éprouvais particulièrement le désir de percer une brèche dans le sanctuaire sacré qu'était « Fort Fenton ». Tout ce que je dis, c'est que ça aurait été plus pratique si, parfois, on avait pu se rencontrer sur un pont reliant nos deux cavernes. Mais, visiblement, ce genre de construction n'existait pas. Nos dissensions avaient commencé avec la façon dont nous faisions chacun usage de nos cordes vocales. J'avais l'irrépressible habitude de commenter tout et n'importe quoi, de lire les panneaux à haute voix et d'exprimer les pensées qui erraient dans mon cerveau tels des touristes désœuvrés. Ma bouche s'ouvrait librement. La sienne, seulement pour projeter des éclats d'obus.

« Regarde ces limaces qui achètent des CD de country en solde chez Wal-Mart… Pourquoi tout ce qui a un rapport avec la consommation est-il si affligeant ? Ce pays entier est en train de se transformer en un immense bourbier de clients. Tu sais à quoi ça me fait penser ? À cette couche d'au moins deux centimètres de graisse de bacon séchée qui marine au fond

73

d'une casserole de petit déjeuner sale. Mon Dieu, qu'il fait chaud ! J'ai l'impression de vivre dans un toaster. »

Fenton me jeta un coup d'œil, mais se retint de dire quoi que ce soit. Il pensait sans doute me faire une faveur. Il s'arrêta pour ramasser un vieux prospectus par terre et, après l'avoir parcouru rapidement, le glissa dans sa poche et se remit à marcher en silence. Je découvrirais bientôt qu'il faisait ça tout le temps. Il collectionnait des trucs dans le genre, des flyers de pizzeria bon marché, des cartes de membres de clubs exclusivement masculins avec des noms à coucher dehors, des brochures de spa avec des photos pixélisées en noir et blanc de femmes moyennement jolies, en maillot de bain et sourire aux lèvres… Plein de trucs comme ça.

En s'arrêtant devant une Ford Taurus rouge, Fenton se mit à chercher ses clés. Je croisai les mains dans mon dos et observai sans réfléchir un vieux camping-car qui se dressait derrière lui. Ses flancs usés étaient peints d'une mixture mi-jaune, mi-marron. Une bande de métal rouillé courait sur toute sa longueur et ses fenêtres étaient en plastique (ce genre de plastique marron, oppressant, qui a toujours l'air d'être taché de graisse et qui rappelle que l'air est pollué). Cet engin forçait l'admiration.

« J'aimerais tellement que ce soit le tien, lui dis-je en hochant la tête en direction du camping-car. J'ai toujours rêvé d'épouser un propriétaire de camping-car. »

Il se tourna vers moi, surpris.

« Tu croyais que c'était ma voiture, cette Ford rouge de merde ?

— Tu rigoles ? murmurai-je avec respect.

— Ce camping-car, c'est chez moi. »

Eh bien ! J'avais à peine le temps de formuler des souhaits qu'une sorte de fée marraine à l'esprit un peu tordu les réalisait.

« Et juste pour info : je préférerais me manger moi-même vivant que de conduire une voiture rouge », ajouta-t-il sérieusement en introduisant sa clé dans la portière du camping-car.

Quelque part, je n'en doutais pas. Enfin bref, ce fut ainsi qu'il me présenta Arlene. Ouais, je ne pensais pas qu'il était du genre à baptiser des objets, mais apparemment si. Et j'allais vite comprendre que Fenton ne serait pas Fenton sans Arlene. Arlene était sa déesse. Tout en elle lui inspirait cette idolâtrie aveugle que les adolescents réservent au cul d'une seule fille : quelles que soient les bonnes surprises qu'ils rencontreront en chemin, à quatre-vingts ans ils jureront toujours sur le bien-être de l'humanité entière qu'il n'y eut et n'y aura jamais rien d'aussi extraordinairement parfait que le postérieur de cette fille. C'est ce qui s'appelle de la loyauté. Ne laissez personne vous dire que les hommes ont perdu toute aptitude à la galanterie. Même Fenton avait sa part de noblesse. Même si, bien sûr, seul un être aussi « spécial » que lui pouvait la gâcher avec un camping-car.

« Ne tire pas la porte trop fort, elle ne s'ouvre qu'à moitié. Si tu essaies de l'ouvrir davantage, tu vas la casser. Et si tu la claques, le rétroviseur tombe. »

Anxieux, Fenton me suivit du regard tandis que je respectais ses instructions. Ma docilité détendit son visage jusqu'à ce qu'il reprenne une expression neutre. Pour la première fois dans l'histoire de nos interactions, il semblait que je ne lui avais donné aucune envie de meurtre. Il sourit presque en démarrant. Et je lui souris presque en retour.

Dans le bureau de l'employé municipal – une pièce qui avait la couleur de ces blouses dont sont affublés les médecins dans les séries télé, lorsqu'ils jettent des œillades critiques à de jolies mères célibataires qui attendent de savoir ce qu'il va advenir de l'appendice enflammé de leur enfant –, nous présentâmes nos documents et les signâmes tandis que Darrel, un parfait étranger, jouait le rôle de témoin.

Un mois et trois jours plus tard, notre contrat de mariage était signé par le juge de paix et nous sortîmes du bâtiment au coucher du soleil, mariés. C'était la mi-novembre et l'air était bien plus pur que le reste de l'année. L'humidité avait légèrement augmenté et une bonne partie des touristes allemands s'était évaporée. Nous descendîmes les marches du perron comme si nous n'avions rien fait de plus officiel qu'aller manger un burger. Comme toujours, Fenton me devançait de quelques pas et je trottinais derrière lui. À notre façon de nous comporter, il était évident qu'on passait à côté de quelque chose. Peut-être était-ce le moment de faire une blague, ou d'échanger un regard, ou quoi que ce soit qui marquerait la concrétisation de cet énorme et improbable engagement.

J'éclatai de rire. J'étais madame Flaherty après tout… Cette pensée me paraissait infiniment absurde et abstraite. Fenton me jeta exactement le même regard que d'habitude et je lui adressai un clin d'œil.

Je ne crois pas que deux êtres humains puissent être plus mal assortis que nous et pourtant aussi satisfaits que nous l'étions. «Imbéciles heureux», il me semble que c'est ça le terme technique.

T'es toute seule, maintenant[1]

Me sentais-je différente maintenant que j'étais une femme mariée et que j'avais rejoint les milliards de personnes enchaînées à un partenaire ? Est-ce que quelque chose avait changé ? Avais-je acquis le superpouvoir de soupirer et de m'énerver ? Étais-je désormais capable de sentimentalisme, de jalousie, d'orgueil ? Les gens dans les magazines ont toujours l'air de mener une vie pleine de rebondissements. Comme si rien ne comptait davantage pour eux : être séduisant, être séduit, avoir une liaison, mettre un terme à cette liaison, brûler d'amour jusqu'à fusionner avec un autre être humain. Ils semblent se vautrer dans la complexité de leurs relations et ne vivre que pour parler à leurs amis, lors de déjeuners, des divers aspects infiniment ennuyeux de leurs histoires. Apparemment les malheurs de l'amour les satisfont davantage que des sommets de félicité. Mais bon, j'imagine que tout le monde peut prendre du plaisir à baisser tristement les yeux du haut d'une croix. Je pensais qu'il m'arriverait peut-être la même chose et je me pré-

---

1. Le titre de ce chapitre, « Ain't nobody lookin' now », est inspiré d'une chanson d'Elliott Smith intitulée *Southern Belle*.

parais au pire, mais je me réveillai le lendemain matin aussi puérile que le jour de ma naissance.

La vie suivit son cours normalement. Si normalement, en fait, que c'en était presque anormal, et j'en vins à me demander si j'avais réellement épousé Fenton.

Je pris rendez-vous à l'orphelinat et il s'attaqua au roman dans lequel je jouais le rôle de la femme attardée. Nos rencontres se déroulèrent comme elles s'étaient toujours déroulées jusque-là. Le fait d'avoir été liés par la loi ne changeait pas grand-chose pour nous, sinon que désormais, quand nous nous croisions à la bibliothèque, nous avions une raison officielle de dériver l'un vers l'autre. La plupart du temps, nous nous engueulions. Mon Dieu ! Nos sujets de dispute concernaient tout et n'importe quoi, y compris des choses qui, rationnellement parlant, n'offrent pas la moindre cause possible de dispute.

« Bien sûr qu'il vaut mieux se doucher le soir que le matin. C'est évident.

— Évident ?

— Ouais, évident.

— Bon ben, dans ce cas, tu devrais peut-être commencer à réunir des signatures pour faire passer une loi.

— Écoute, pour ce que j'en ai à faire, les gens peuvent aussi bien se doucher à trois heures de l'après-midi chaque deuxième dimanche du mois. Je dis juste que le bon sens, c'est d'aller se coucher propre et pas de dormir dans la crasse que tu as accumulée toute la journée. Maintenant, est-ce que tu pourrais s'il te plaît aller déranger quelqu'un d'autre ? J'essaie de me concentrer.

— C'est toi qui as lancé cette conversation.

— Excuse-moi, mais c'est toi qui as débarqué ici et qui l'as ouverte. Si ça n'avait tenu qu'à moi, je ne t'aurais pas adressé la parole du tout.

— Bon, mais c'est toi qui as lancé le sujet de la douche. »

On devait être en janvier quand je pris conscience de la disparition de Fenton. J'essayai de me rappeler la dernière fois que je l'avais vu et la seule date qui me vint à l'esprit fut le 13 décembre. En y réfléchissant, il m'apparut que j'aurais probablement dû être dévastée. Que peut-il arriver de pire à une jeune fille que d'être abandonnée par son compagnon ? Même si le compagnon en question n'en est pas vraiment un, mais plutôt un poète qui vous a épousée pour des questions d'inspiration. Encore une fois, j'avais l'impression de souffrir d'une malformation. Je savais que j'aurais dû m'enfermer dans ma chambre et pleurer pendant au moins deux semaines et puis continuer à porter un mystérieux fardeau sur les épaules où que j'aille, afin que les gens puissent murmurer des choses éloquentes à mon propos (des trucs du genre : « Surtout, ne lui parle pas de *lui*… »). Se consumer d'amour, c'est sans aucun doute le dernier stade du romantisme. J'avais enfin l'occasion de faire de ma vie une histoire tragique et j'en étais incapable. Pleurer l'absence de Fenton me paraissait physiquement impossible. Très franchement, il m'aurait été mille fois plus aisé de remporter un prix Nobel en écrivant un essai sur les olives.

Si la terre avait avalé mon époux, elle devait avoir ses raisons. Je n'allais pas entrer en conflit avec mère Nature pour ça. En outre, avoir la bibliothèque pour moi toute seule était exaltant. Je me sentais comme un chien dont le territoire aurait enfin été abandonné par une insupportable meute du voisinage. Ou tel un cow-boy qui, après avoir prononcé la fameuse réplique « Cette ville n'est pas assez grande pour nous deux », aurait vraiment réussi à effrayer l'ennemi.

Je me détendis et décidai de profiter de cette grâce divine. Je ne pouvais pas me douter qu'il s'agissait très probablement d'une grâce accordée par le diable et que les bonnes intentions de ce gentleman s'accompagnent toujours d'une série de catastrophes. Je n'y réfléchis pas à deux fois. Seul le présent comptait dans cette tornade intitulée « La vie d'Hester ». Je n'étais pas suffisamment parano pour me préoccuper des détails d'un avenir lointain. Ni pour me soucier d'un regard inquiet ou d'une demande d'explication qui pourrait avoir lieu dans des siècles. Tenter d'imaginer comment esquiver des balles qui n'avaient pas encore été tirées m'ennuyait profondément.

Je retournai à l'orphelinat, munie des documents me déclarant officiellement majeure et mariée. La grosse dame dont j'oubliais constamment le nom, comme si j'étais affligée d'un genre de sort, me reçut dans son bureau, comme la première fois. Je vis dans ses yeux nerveux qu'elle ne comptait pas me refiler un gosse, quoi qu'il arrive. Je lui faisais perdre son précieux petit temps et présentais autant d'intérêt pour elle qu'un morceau de papier-toilette qui refuserait de se laisser emporter par la chasse d'eau. Inutile de préciser que ma confiance en moi avait connu des jours meilleurs.

«Hey», dis-je.

Et aussitôt, je regrettai d'avoir choisi ce mot.

«Alors, vous voulez toujours adopter?» demanda-t-elle en s'asseyant sur le bord de son bureau.

J'avais l'impression d'être encore à l'école, à essayer d'expliquer au proviseur que des extraterrestres avaient dérobé mes devoirs.

«Oui, je veux toujours adopter.

— Hum, dit-elle en me fixant du regard. Vous y avez bien réfléchi?

— Vous pensez vraiment que le désir d'enfant, c'est un truc qui peut passer en une semaine?

— Madame Flaherty, je ne *pense* rien. J'expose juste les faits.»

Je tressaillis. Je n'arrivais pas à croire qu'elle m'ait appelée «madame Flaherty». L'impression de me trouver dans le bureau du proviseur venait soudainement de s'évanouir. Je me redressai. C'était exaltant d'être regardée comme une adulte. Un peu déconcertant, certes, mais exaltant tout de même. Mes mots semblaient avoir davantage de poids, comme s'ils étaient maintenant dignes d'intérêt. Pendant tellement d'années, voyez-vous, chaque fois que je prenais la parole, les gens m'avaient regardée exactement comme si j'étais en train de vomir dans un lieu public. Me faire appeler par mon nom de femme mariée me donnait suffisamment confiance en moi pour dire à peu près n'importe quoi.

«Eh bien, exposez-les», dis-je, en référence aux faits.

Elle soupira.

«Je vais être honnête avec vous : je ne pense pas que ça va marcher.

— Je croyais que vous ne *pensiez* rien.»

L'expression de son visage se fit franchement acerbe.

«Nous allons devoir vérifier les informations que vous nous avez transmises.»

Je me penchai en arrière et inclinai la tête, tel un général apathique regardant son armée détaler tandis que le soleil couchant illumine le champ de bataille d'une lumière dorée et écrasante.

«Vous n'allez pas accepter mon dossier d'adoption, n'est-ce pas ?»

Il y eut un silence tendu. Elle se leva de son siège et dit :

«Non.

— Merci. C'est tout ce que je voulais savoir.»

La ville n'est jamais belle quand on vient d'anéantir vos rêves. L'après-midi était déjà bien entamé, et je devais à présent retrouver par quelles lignes de bus j'avais regagné la maison la dernière fois. Je me trompai de nouveau. Ça ne se voyait pas de l'extérieur, mais j'étais effondrée.

J'avais bâti pierre après pierre tout un château d'espoirs, dans lequel on venait de planter une hache. Et maintenant ? Maintenant, j'étais assise dans un bus qui tournait dans la mauvaise direction, mes pensées creusant des galeries dans des territoires inexplorés.

Et, comme si ça ne suffisait pas à mon malheur, j'étais mariée. Et pas mariée comme on l'entend habituellement, mariée à Fenton Flaherty, qui était peut-être mort, d'ailleurs. C'était une sale affaire, quel que soit le bout par lequel on la prenait : la raison pour laquelle je l'avais épousé en premier lieu venait juste de m'être ôtée par une grosse dame qui avait une dent contre moi.

Il était plus de vingt heures quand j'ouvris enfin la porte de chez moi. Je débarquais en pleine pagaille, après le dîner. Les bruits de la vaisselle et des conversations me parvenaient depuis la cuisine. Ma mère était en train de dire à quelqu'un quelque chose à propos de sa ménopause. Ayant entendu la porte claquer, elle apparut promptement dans l'entrée.

« Hester, où étais-tu ? On a dîné sans toi. »

Ça faisait longtemps que j'avais laissé tomber les mensonges. Il était devenu trop complexe d'imaginer des lieux où j'étais censée être allée et des choses que j'étais censée avoir faites chaque fois que je mettais un pied dans l'allée. Je savais qu'elle n'en avait rien à faire de toute façon. Elle me posait juste la question pour la forme.

« J'étais à l'orphelinat. Ils ne veulent pas me laisser adopter un enfant. »

Elle retourna dans la cuisine.

« Eh bien, Margaret est venue dîner avec ton oncle Norman et Jethro. Je ne comprends pas pourquoi tu choisis précisément le jour où ils sont là pour être ailleurs.

— Désolée, je ne savais pas.

— Ouais, j'ai bien peur que ce genre d'excuses ne te mène nulle part dans la vie. »

Oncle Norman, Margaret, Jethro… Jamais entendu parler d'eux. Mes parents étaient issus de familles nombreuses dont nous ne connaissions presque aucun membre, mais ma mère aimait prétendre que nous avions tous grandi dans le même voisinage, partagé d'innombrables pique-niques et barbecues et passé des nuits à jouer au Monopoly ensemble.

J'entrai dans la cuisine pour serrer la main à Margaret qui, apparemment, était la seconde femme d'oncle Norman, qui se trouvait être le frère aîné de mon père. Ou quelque chose comme ça.

«Coucou», dit-elle en souriant suspicieusement.

Aucun doute : ils avaient parlé de moi juste avant d'entamer la discussion sur la ménopause.

«Coucou», répondis-je.

Margaret n'était pas maquillée. Elle ressemblait à un bûcheron en fin de carrière : massive, trapue et plutôt bouffie du visage, des bras et des cuisses. Elle avait attaché ses cheveux naturellement blonds en queue-de-cheval et elle portait un short kaki avec un T-shirt sur lequel on pouvait lire «Bonne journée !». Elle avait une main dans la poche et l'autre agrippée à sa tasse de café.

«J'ai beaucoup entendu parler de toi, Hester, dit-elle en souriant comme si elle était l'ambassadrice d'une marque de dentifrice.

— Oh, cool.

— Ta mère dit que tu aimerais devenir neuro-chirurgienne.

— Ouais, répondis-je. J'hésite entre la neuro-chirurgie et le surf.»

Ma mère, debout devant le frigo, me lança un regard clairement réprobateur.

«Hester, ce n'est pas drôle.»

Je haussai les épaules et inspirai profondément, tandis que tante Margaret continuait de me fixer. Elle avait bonne mine, un peu comme une randonneuse, mais le truc bizarre c'est que ça lui donnait l'air terriblement malade. On aurait dit que toute cette bonne santé, cette peau bronzée, ces taches de rousseur et cette queue-de-cheval blonde ne constituaient qu'une triste façade pour dissimuler quelque chose de pire encore que ce que ma mère s'efforçait de masquer. Je fus prise d'une envie de vomir comme ça ne m'était pas arrivé depuis longtemps. Je portai la main à ma bouche et grommelai:

«Pardon, excusez-moi.

— Où vas-tu? demanda ma mère.

— Je crois que je vais vomir.

— Oh, pour l'amour de Dieu!»

Je m'enfuis tandis que Margaret prenait une gorgée de café et que ma mère commençait à me démonter verbalement, sans même avoir l'élégance d'attendre que je sois hors de portée de voix.

Je poussai la porte de la salle de bains d'un coup de pied, comme dans les films, et atteignis les toilettes. Après avoir vomi, je me relevai et marchai jusqu'au lavabo. Mon visage était rouge et luisant de sueur froide, mes paupières gonflées, et mes yeux me faisaient mal. Je ne pleurais jamais quand j'étais au bout du rouleau. Cela m'arrivait bien trop souvent pour que je cède aux larmes. Je me contentai donc de m'observer dans le miroir, le regard vide, et de penser: C'est si triste de se rendre compte qu'au bout du chemin il n'y a que la neurochirurgie et qu'on ne peut pas en dévier ! Enfin, on peut toujours essayer, mais ça s'appelle tourner en rond. Et ça peut durer jusqu'à la fin des temps.

Ce fut à ce moment-là que j'ouvris la porte et me trouvai nez à nez avec un petit gamin obèse aux yeux noirs comme des olives.

Lune de miel n° 2

Apparemment, mon oncle Norman avait épousé Margaret trois ans auparavant. Elle était inscrite dans son club de tennis, à ce qu'ils racontaient. Elle jouait sur le court à côté du sien et, avant même qu'il ait pu se rendre compte de ce qu'il lui arrivait, elle lui avait cassé le nez avec une balle perdue. C'est ainsi qu'avait commencé leur histoire. Oncle Norman était ce genre d'homme impuissant qui a besoin d'une grosse maman pour lui essuyer la bouche après manger plutôt que d'une femme qui se balade sur des talons hauts. Et Margaret était exactement la personne qu'il lui fallait. Tout le contraire de sa première épouse. Elle appartenait à cette catégorie de femmes qui en savent davantage sur le broyeur à ordures que le plombier. Elle savait quoi faire en cas de morsure de serpent à sonnette, comment cuisiner de mauvais repas avec beaucoup de protéines, comment faire tomber à genoux un homme qui lui aurait pincé les fesses et probablement aussi comment plaquer au sol un sanglier sauvage. Elle était membre du club de voile, du club de tennis, de la Commission pour l'immigration régulière, de la chorale de l'église locale au premier rang de laquelle elle chantait avec beaucoup de coffre. Margaret tenait davantage du monstre que de l'être humain. On aurait dit un genre de tondeuse à gazon avec des superpouvoirs ou un truc comme ça.

Le jour de son mariage avec oncle Norman, elle était accompagnée d'un petit garçon issu d'un premier mariage avec un pilote de commerce espagnol. Jethro. Il avait sept ans à l'époque. Et là, alors qu'il m'observait depuis le seuil de la salle de bains, il en avait dix. Ses cheveux noirs et gras étaient séparés par une raie sévère et aplatis sur sa tête comme ceux d'un vieil homme qui tenterait de cacher une calvitie. Un T-shirt à rayures vertes et orange, maculé de taches, lui moulait le ventre.

« Hey, salut ! » dis-je, étonnée.

Les yeux de Jethro ressemblaient à des torpilles : grands, noirs, innocents et assez puissants pour te convertir à n'importe quelle religion.

« Hey, salut », répondit-il.

Sa peau n'avait pas l'éclat de santé qu'on se serait attendu à trouver chez un garçon méditerranéen bien nourri. Son visage et ses bras arboraient une teinte maladive, olive, qui tirait sur le violet sous une certaine lumière.

« Je m'appelle Hester.

— Je m'appelle Jethro. »

Nous restâmes en plan, comme ça, un moment encore. Pour je ne sais quelle raison, il me semblait que notre rencontre aurait dû être plus symbolique. Des effluves du futur étaient perceptibles dans l'air et je trouvais ça tout bonnement absurde que Jethro et Hester dussent se croiser pour la première fois à la porte d'une salle de bains. J'ignore pourquoi. C'est ainsi que je le ressentais.

« Tu as terminé ? finit-il par demander.

— Oh, oui, vas-y. »

Je me dirigeai vers ma chambre sans me retourner pour vérifier si le gamin obèse était réel ou s'il n'était qu'un mirage. Je m'endormis en pensant à la fac et en me demandant si je devais céder ou mettre en place un plan B. Mes yeux s'alourdirent bientôt de pensées qui prenaient naissance dans ma raison pour se fondre ensuite dans d'absurdes paysages oniriques ; je m'endormis drapée sur ma chaise, la tête posée sur un livre ouvert, mes cheveux éparpillés sur le bureau.

Le matin me surprit alors que je grimpais sur le toit, une cigarette à la bouche et un briquet à la main. Et je m'aperçus que le petit obèse de la veille n'avait rien d'une hallucination. Il était assis sur le toit, en chair et en os, avec un sweat-shirt zébré et des antennes en aluminium sur la tête. Inutile de préciser que j'étais plutôt décontenancée. Je clignai des yeux et m'immobilisai, sans savoir si je devais allumer ma cigarette ou l'ôter de ma bouche pour dire quelque chose.

« B'jour, fit-il en levant les yeux d'un cahier posé sur ses genoux.

— B'jour. »

Il reporta son attention sur son cahier. La mienne était rivée sur l'imprimé très voyant de son sweat-shirt. Le qualifier de fascinant serait un euphémisme. Il était franchement hypnotique.

« Qu'est-ce que tu fais ici ? demandai-je, en allumant enfin ma clope.

— Je dessine un plan du quartier.

— Ah ouais ? Pourquoi ?

— Il faut que je trouve le meilleur endroit pour une piste d'atterrissage.

— Pour quoi faire ?

— Je construis un vaisseau spatial.

— Oh. »

Mon Dieu, comme j'aimerais que les conversations soient toujours aussi simples !

« Jethro, c'est ça ? demandai-je.

— Ouais, répondit-il sans lever les yeux de son carnet.

— Eh bien, ça a l'air intéressant, Jethro. Pour être honnête, c'est certainement le projet le plus intéressant dont j'aie entendu parler depuis longtemps. »

Il leva les yeux avec un sourire sans défense et il était évident qu'il avait attendu toute sa vie un compliment pareil. C'était assez perturbant. Et Dieu sait qu'il était beaucoup trop tôt dans la matinée pour des scènes d'une telle tristesse. Mais maintenant, Jethro était lancé. Ses yeux s'éclairèrent, telles deux énormes billes, rayonnants de joie.

« Quand je serai grand, je serai astronaute.

— Oui, je n'en doute pas.

— Tu n'en doutes pas ?

— Non.

— Pourquoi ?

— Eh bien, tu es assis là, dehors, à huit heures et demie du matin, en train de dessiner un plan du quartier pour construire une piste d'atterrissage de vaisseau spatial. C'est carrément prometteur. »

Mon explication eut l'air de le satisfaire. Il se remit

au travail avec un léger sourire que même un aspirateur n'aurait pu ôter de son visage. Je me penchai en arrière, les paupières encore lourdes de sommeil, plutôt fière d'avoir été capable de scotcher un sourire sur une tête de gosse.

« Et donc, vous passez le week-end ici tous les trois, c'est ça ?

— Non, ma mère est partie à Hawaii avec Norman pour leur seconde lune de miel. Ils reviennent me chercher dans deux semaines. »

Je réfléchis à ce qui avait bien pu convaincre ma mère de s'occuper du gamin d'un vague parent à elle pendant deux semaines. Il y avait de toute évidence d'autres raisons en jeu, trop complexes pour que le gosse soit au courant.

Je posai la question à ma mère plus tard dans la journée.

« Maman, Margaret a une tumeur ou un truc comme ça, hein ? Ou alors elle est en train de se faire avorter ? »

Elle se retourna sur le canapé.

« Hester, de quoi tu parles ?

— Non, mais il doit bien y avoir un motif pour qu'ils aient laissé leur gamin ici pendant deux semaines.

— Ils sont en lune de miel.

— Mais qui part en lune de miel trois ans après un mariage ?

— Hester, s'il te plaît ! »

Elle coupa le son de la télévision pour m'accorder toute son attention.

« Tu vas arrêter de me casser les pieds ? Trouve

92

un truc normal à faire, pour une fois. Fais ce que les jeunes de ton âge sont censés faire en vacances. »

Les mots me manquaient et, au lieu de lui répondre, je cherchai désespérément à me souvenir de la raison pour laquelle j'avais lancé cette conversation.

« Et à propos, il est grand temps que tu te trouves un petit copain », ajouta-t-elle avant de remettre le son de la télé.

Techniquement, je tromperais mon mari si je faisais une chose pareille. Une nouvelle pensée lui traversa l'esprit et elle coupa encore le son.

« Pourquoi tu ne demandes pas à Hannah si elle serait d'accord pour t'emmener avec elle à l'une de ces fêtes où elle va toujours ? »

Eh bien, probablement parce que je préférerais nettoyer des toilettes publiques avec ma langue.

Elle prit un air ennuyé, pour ne pas dire constipé.

« Pourquoi tu ne me réponds jamais quand je te parle ?

— Désolée, dis-je en me passant une main froide sur le front. Mon train de pensées a déraillé. »

Elle se détourna de moi et, pour la seconde fois, monta le son de la télé.

« Chérie, il y a un truc qui cloche chez toi. Vraiment. »

Peu importe qu'il y ait chez moi un truc qui clochait ou pas, j'avais désormais un petit frère qui se levait tous les jours à l'aube et passait presque tout son temps à essayer de construire un vaisseau spatial dans le jardin. Et quand il allait se coucher le soir, il faisait d'étranges rêves de conquête de planètes dans de lointaines galaxies, où s'écoulaient des rivières de chocolat ; parfois il rêvait aussi qu'il parcourait la mer des Caraïbes sur un bateau de pirates, mais c'était plus rare. La plupart du temps, il rêvait de rivières de chocolat exactement comme les clochards rêvent de rivières de whisky.

Jethro était un enfant assez calme. J'étais hyperactive en comparaison. Quand on lui parlait, il donnait des réponses succinctes et neutres. Je ne veux pas dire qu'il était froid, ce n'était pas le cas. C'était juste un gamin qui ne faisait pas semblant de s'intéresser, d'être fasciné ou de comprendre quelque chose à moins d'avoir une bonne raison. Il n'était pas facile à secouer. Son imagination semblait prendre soin de lui. Ce que je veux dire, c'est qu'il n'avait pas besoin de beaucoup d'attention parce qu'il profitait pleinement des choses qu'il imaginait et qu'il voyait se dérouler dans son avenir. Il rêvait en permanence : la nuit, le jour, à l'heure du déjeuner, du dîner, du petit déjeuner, et même quand on lui parlait, on voyait que chaque mot déclenchait de nouvelles explosions dans sa tête et que les images, les couleurs, les odeurs et les sons déteignaient les uns sur les autres, donnant constamment naissance à de nouvelles scènes. L'imagination de Jethro était sans limites. Évidemment, avant même l'heure du dîner, le premier soir, Hannah lui avait déjà diagnostiqué trois troubles psychologiques différents.

À ce propos, la présence d'une nouvelle personne à table, coincée entre Hannah et moi, était un étrange spectacle. Ma mère souriait et nous faisait part de ses réflexions quant à la qualité des gressins, mon père prononçait quelques phrases au sujet de la Bourse, mais la plupart du temps c'était Hannah qui monopolisait la parole. C'était une règle générale : faire taire ma sœur relevait de l'impossible. Elle empiétait sur toutes les discussions et racontait tous les trucs qu'on avait le moins envie d'entendre à ce moment-là. En ce qui me concerne, il y avait des fois où j'oubliais même ma propre présence à table. Je me contentais de manger et de retourner mes pensées dans ma tête, là où personne n'avait accès. Je faisais toujours en sorte de ne rien dire devant ma famille. Je détestais toutes les conversations qu'on avait et le plus souvent je comprenais à peine de quoi il retournait. Le soir, en particulier. Donc je n'ouvrais la bouche que lorsque je ne pouvais pas faire autrement :

« Hannah, je pense que c'est très mauvais pour ta santé, cette façon que tu as de ne jamais sortir la tête de ton propre cul. Tu devrais lever un peu le nez de temps en temps et respirer. »

Ce à quoi ma mère répondait, en posant sa fourchette et en regardant son mari avec insistance :

« Richard, dis quelque chose ! »

Et mon père disait, d'un ton mécanique et ennuyé :

« Hester, ce n'est pas une façon de parler à table. »

Et moi :

« Ouais, je sais. »

Et il m'arrivait de sourire et d'ajouter :

« Mais on est tous d'accord, hein ?

— Va te faire foutre, Hester. »

Ça, c'était une réplique de ma sœur. Et puis ma mère disait encore quelque chose à propos de la façon de parler à table et il arrivait que quelqu'un se lève en renversant sa chaise et quitte la salle à manger.

Hannah la première, en général. Le temps que le rideau tombe sur la scène de dîner désertée par ses acteurs, il n'y avait plus que moi assise là, souhaitant que nous soyons tous des pigeons en train de mener une vie paisible. Le déroulement des dîners ne variait jamais, jusqu'à ce soir où Jethro et moi nous sommes retrouvés tous les deux seuls à table.

S'il continue de pleuvoir[1]

J'ignore toujours comment nous en étions arrivés là, mais avant que je m'en rende compte, je me retrouvais dans le garage à aider Jethro à scotcher les morceaux en carton de son vaisseau spatial. Nous savions tout des principes de l'aérodynamique et j'avais même volé la carte bleue de ma mère pour effacer mes dettes à la bibliothèque et emprunter une sacrée cargaison de bouquins sur les galaxies, la NASA et autres trucs du genre.

La nuit, je contemplais le plafond de ma chambre en souriant. Ça faisait des siècles que je n'avais pas employé mon temps aussi intelligemment. Des siècles que je ne m'étais pas réveillée le matin avec le plus total désintérêt pour l'opération de chirurgie esthétique que l'on imposait à mon avenir. Il me semblait que je n'avais même plus le temps de chercher à avoir de l'espoir ou de me demander si les choses allaient « bien se passer ». Il y avait un vaisseau spatial à construire, l'ensemble du quartier à cartographier sur

---

1. Le titre de ce chapitre, « If it keeps on raining », est inspiré d'une chanson de Kansas Joe McCoy et Memphis Minnie intitulée *When the Levee Breaks*.

une feuille cartonnée avec un code trois couleurs, il y avait la facture de bibliothèque à dissimuler à ma mère et puis un problème : comment construire une piste d'atterrissage dans l'arrière-cour bétonnée des voisins sans qu'ils s'en aperçoivent ?

J'avais dix-huit ans et ma vie était à deux doigts de basculer vers une sorte de stupide catastrophe qui m'enfermerait dans un schéma établi jusqu'à la fin de mes jours. Les eaux étaient en train de monter et je ne pouvais vraiment plus m'offrir le luxe de ne pas être paranoïaque. Alors qu'est-ce que je foutais avec un gros gamin, à emprunter des livres d'astronomie à la bibliothèque ? Je ne sais pas. Mais je pouvais discuter avec ce gros gamin, comme avec Marc à l'époque, dans la cour de récré, sans avoir l'impression d'être prise en flag au volant d'un véhicule volé, sans permis de conduire, les phares d'une voiture de police braqués sur moi.

Jethro avait l'air innocent et tellement naïf qu'on l'aurait cru égaré au milieu de toute l'acidité dont est capable l'espèce humaine, mais à y regarder de plus près, une expression traversait de temps à autre les traits de son visage, qui trahissait une intelligence assez aiguisée pour découper une porte blindée.

À l'encontre du préjugé sur les enfants enrobés, il ne se nourrissait pas beaucoup. En fait, j'irais même jusqu'à dire qu'il n'aimait pas manger. Il touchait à peine à son assiette lors des repas. Jethro avait le régime alimentaire d'un héroïnomane, avec un faible pour les sucreries et la mauvaise habitude de se préparer lui-même d'effroyables quantités de café instantané chaque fois que la cuisine était déserte. Je le surpris un jour alors qu'il était en train de verser de l'eau chaude dans sa tasse. Il s'immobilisa une seconde, puis attrapa une cuillère et se mit à m'étudier prudemment en remuant son café.

«Ma mère me tuerait si elle savait que je bois du café, dit-il gravement.

— Bon, il vaut mieux qu'elle n'en sache rien, alors.

— Tu ne vas pas lui dire ?

— Non. Je crois qu'on a tous le droit de se ruiner la santé comme bon nous semble.»

Il sourit, content.

«Tiens, je t'ai trouvé un livre à la bibli, sur l'anatomie des grenouilles, dis-je en posant un énorme livre sur la table de la cuisine.

— Merci.»

Nous laissâmes tous les deux nos yeux glisser sur la couverture brillante, d'où une éblouissante grenouille verte nous fixait en retour.

«Pourquoi tu m'as pris un livre sur les grenouilles ?

— Parce que c'est incroyable, Jethro. Jette un coup d'œil. Mais peut-être que tu préférerais aller voir directement page 13.

— Pourquoi ?

— Parce qu'on peut voir des grenouilles… on peut les voir… bon, pas la peine que je te fasse un dessin, elles essaient d'avoir un bébé grenouille.»

Il me regarda sans un mot et je me demandai pourquoi j'avais abordé ce sujet. Il n'aurait probablement jamais compris ce qui se passait sur la photo de toute façon.

«Écoute, Jethro, lui expliquai-je en jetant des regards suspicieux vers le couloir, ça va peut-être te paraître difficile à croire, mais ces histoires débiles de cigognes qui livrent des bébés aux parents sur le pas de la porte, alors qu'ils se sont contentés de se tenir par la main et de souhaiter avoir un gosse, ben c'est des conneries. »

Pendant un moment on aurait pu croire qu'il ne répondrait jamais. Je commençais à me sentir mal à l'aise et à me demander si je ne venais pas d'enterrer sous ses pieds les fondements mêmes de sa capacité de raisonner. J'éprouvais ce pincement à l'estomac que tu ressens lorsque tu viens de traumatiser un enfant pour le reste de sa vie. Il finit par demander :

« De quoi tu parles ?

— Laisse tomber, dis-je en lui tapotant le dos. J'imagine que tu as échappé au lavage de cerveau planétaire.

— Eh ! Je sais comment ça se passe en vrai.

— Ah ouais, tu sais ?

— J'ai deviné tout seul il y a des années », dit-il avec une fierté scolaire.

J'étais carrément stupéfaite parce que jusqu'à seize ans je n'avais jamais eu la moindre idée de ce qui pouvait bien se tramer dans la nature, et même à cet âge-là la plupart des choses que j'avais apprises me venaient d'un livre de science-fiction plutôt que d'un manuel d'anatomie.

« Eh ben, c'est impressionnant, Jethro », dis-je.

Il haussa les épaules.

« Les bébés, on les fait avec de la bave. C'est assez évident. »

Hum.

« Bon, fis-je, disons que c'est un genre de bave. »

Ma mère détestait me voir passer autant de temps avec Jethro. Elle disait que je ne me « développais » pas normalement et que quelque chose clochait chez moi.

« N'est-ce pas un fait établi depuis longtemps déjà ? » lui répondais-je.

Ensuite, elle disait qu'elle voulait que j'arrête de m'amuser avec des jouets dans le garage et je rétorquais que j'étais en train de construire un vaisseau spatial, pas de m'amuser avec des jouets. Et elle me regardait comme si j'avais une nouille collée sur la joue dans un restaurant chic.

« Il ne te reste que deux semaines avant ton entretien à l'université. Est-ce que tu réalises la chance que tu as qu'ils daignent ne serait-ce qu'envisager ta candidature si tardivement ?

— Bien sûr.

— Tu n'en as clairement pas la moindre idée. »

Pas la moindre, en effet. Et, pour être honnête, que je sois pendue si j'en avais quelque chose à foutre.

« Hester, je ne compte pas te laisser nous décevoir. Autant que tu le saches. Tu vas entrer dans cette putain d'université, même si je dois soudoyer tous les gouverneurs de tous les États. »

Bon, il était clair qu'elle avait bien nourri son fantasme « Hester la neurochirurgienne ». Et loin de moi l'idée d'anéantir les fantasmes des gens.

« Ok, maman. »

Elle me regarda droit dans les yeux et on aurait dit que le temps s'arrêtait. Je détestais ce genre de moments. Ils me donnaient toujours l'impression de nager dans un grand vide. En plus, ça m'obligeait à me demander quoi faire de mes mains.

« J'ai dit ok, maman.

— Hum, dit-elle en se retournant, c'est bien ce qui m'inquiète. »

Je soupirai.

« Écoute, j'ai dit ok. Je ferai des études. Qu'est-ce qu'il te faut de plus ? Un document officiel avec la date et ma signature ?

— Je veux que tu épouses autre chose qu'un plombier. Et pas quelqu'un qui tond des pelouses pour gagner sa vie ou un type avec une coupe mulet, tu peux comprendre ça ?

— Et il y a des cours pour ça à l'université ? »

Son regard n'aurait pas pu être plus assassin.

« Je n'apprécie pas les sarcasmes, Hester. Et je crois que tu le sais.

— Ouais, je crois que je le sais. Mais juste pour info, techniquement, c'était plus une vanne que du sarcasme à proprement parler. Je pense que si j'avais voulu être une petite conne, j'aurais pu dire un truc du style...

— Stop ! fit-elle, agitant en l'air une main irritée. J'essaie de faire en sorte que tu aies une vie convenable, Hester, et tu agis comme si ça ne signifiait rien pour toi. J'essaie de te donner ce dont rêvent tous ces Mexicains quand ils tentent de franchir la frontière...

— Eh bien, j'apprécie », répondis-je.

Et j'imagine que, d'une certaine façon, c'était la vérité. J'appréciais vraiment les intentions maternelles grossières, complètement instinctives et machinales qui se cachaient sous le ciment de son maquillage.

102

Elle croyait bien faire. Sans aucun doute. Et l'exemple qu'elle avait choisi, celui du rêve américain vu par les Mexicains, me donnait presque à penser que toute cette conversation avait été utile. Non pas que maintenant je compte réellement aller en fac, mais au moins j'étais prête à lui dire que j'irais en fac. Je m'efforçais d'être honnête la plupart du temps, douloureusement honnête, suicidairement honnête, mais il arrive un moment où toute sincérité est vaine et la seule chose qu'on désire, c'est mentir et dire qu'on fera des études pour pouvoir rencontrer des hommes importants qui n'ont pas de coupe mulet. On veut juste répondre « Ok » à tout et faire l'inverse de ce qu'on vient de dire.

« Le seul avantage de la fac, c'est qu'au moins je pourrai faire mes valises. »

Je marchais avec Jethro dans les rues désertes et inondées par le soleil matinal d'hiver. La bibliothèque se dessinait au loin et nous étions sur le point de couper par le parc.

Sans détacher ses yeux de la route, Jethro répondit :

« Et pourquoi tu devrais attendre d'aller en fac pour faire tes valises ?

— Je ne sais pas, dis-je avec un sourire qui me donna l'impression d'être idiote. Il y a forcément une bonne raison. »

Il leva les sourcils vers moi, mais n'ajouta rien. Et moi non plus, parce qu'il était clair qu'il avait gagné la bataille. Puis il se mit à courir et moi à crier qu'on se retrouverait à l'accueil de la bibli dans deux heures.

La bibliothèque sentait le radiateur rouillé et le chauffage central rafistolé. Il faisait froid dehors désormais, ou tout au moins assez froid pour que les Floridiens raclent leurs fonds de placards à la recherche d'un sweat-shirt. Tous les clochards s'installaient maintenant à l'intérieur au lieu de s'étendre sous les palmiers. Ils s'affalaient sur des tables pour lire tout et n'importe quoi, des magazines illustrés comme des manuels de programmation informatique. Un tas de gens en surpoids utilisaient les ordinateurs. Une classe de cinquième s'était dispersée dans le rayon « biographies » avec des cahiers à la main ; la plupart des élèves ricanaient et se passaient des petits mots. À part ça, évidemment, la bibliothèque était déserte. Je me recroquevillai dans un coin à l'écart, entourée de livres sur les religions, et en attrapai un sur le bouddhisme. Je pense avoir examiné pendant quinze bonnes minutes une ancienne illustration de Bouddha assis sous son arbre.

Par une nuit de pleine lune, après avoir affronté les assauts et les tentations de Mara, la déesse du Mal, il atteignit l'illumination et devint un bouddha à l'âge de trente-cinq ans.

Pour une raison qui m'échappa, mes yeux s'égarèrent hors de la page et je me surpris à fixer une paire de chaussures noires usées sur lesquelles tombaient les ourlets déchirés d'un pantalon tout aussi noir.

Je n'eus pas même le temps de penser « Oh, merde ! ». Mon estomac remonta dans ma gorge. Je refusais de lever plus haut les yeux, mais m'immobiliser éternellement n'était pas une option. Alors, doucement, je les laissai grimper tout en restant assise par terre, mes jambes étendues sans vie devant moi, drapées par le soleil d'intenses rayures de lumière.

Toute son attention acérée se lisait dans ses traits mythologiques, à deux centimètres de mon visage. L'œil droit légèrement paresseux, typiquement le genre d'anomalie physique qui semblait trop parfaite pour être naturelle. Selon moi, c'était le seul truc qui rendait possible de regarder le visage de Fenton.

Il me fixait avec le même regard distant que le premier jour où nous avions engagé la conversation – à la différence près que, maintenant, ses vêtements d'hiver étaient appropriés. Son visage était légèrement bronzé et son menton couvert d'un début de barbe. On aurait dit qu'il était sur le point de se métamorphoser en hippie à son insu. Il avait les mains dans les poches et les yeux rivés aux miens sans ciller ; on eut l'air de s'observer ainsi pendant une éternité. Eh quoi ? Qu'aurais-je dû dire ? Qu'est-ce qu'on est censé dire quand son mari s'écrase un beau jour sur le toit d'une grange et atterrit dans une meule de foin devant soi, avec exactement la même expression que d'habitude ?

Au jour le jour

Fenton, mal à l'aise, mains dans les poches, déplaça le poids de son corps d'une jambe sur l'autre, un peu sur la défensive.

«Quoi? demanda-t-il.

— Rien.

— Qu'est-ce que ça veut dire, "rien"?

— Ça veut dire "rien".»

Il leva les yeux au ciel.

«De toute évidence, ça ne veut pas dire "rien".

— Si. Il se trouve que là, en ce moment précis, je me sens complètement vide.

— Bon, écoute, j'ai vécu avec assez de femmes pour savoir qu'elles ne pensent jamais à "rien".

— Ravie d'apprendre que tu es docteur en psychologie féminine, mais je te garantis que si tu scannais ma tête aux rayons X, la seule chose que tu y trouverais, c'est un buisson séché soufflé par le vent au milieu d'un immense désert, comme dans les westerns. Et si tu veux noter ça dans ton cahier en le qualifiant de comportement tout à fait anormal, ne te gêne pas.»

Il recula, visiblement déçu que mes paroles ne dissimulent rien de spécial. Il est parfois difficile, quand on attend un drame, de n'avoir rien à se mettre sous la dent. Aucune perche à attraper. Aucun fil sur lequel tirer. Je sentais que je devais l'aider.

«Bon, et sinon, où t'étais passé?

— J'étais en Europe. Je suis allé faire de la randonnée. En Suisse.

— Pourquoi?

— Parce que.»

Oh, eh bien, la lumière ne venait-elle pas de percer entre les sombres nuages et de tout éclairer!

«T'es vraiment un connard égocentrique, c'est impressionnant, dis-je en me levant.

— C'est un compliment?

— Bien sûr. La vie est trop courte pour ne pas tout prendre comme un compliment.»

Il ne répliqua pas.

«Écoute, j'en ai vraiment rien à faire que tu sois un connard et tout… Si tu as éprouvé l'irrépressible besoin d'aller escalader des montagnes en Europe, c'est très bien. Je n'aurais pas songé une seule seconde à t'en empêcher, pour ta gouverne.»

Il me regarda sérieusement.

«Nous savions tous les deux que ce ne serait pas un mariage normal.

— Fenton, la seule chose dans l'univers dont je sois sûre à cet instant précis, c'est que ce mariage n'est pas normal.

— Alors pourquoi tu t'énerves?

— Je ne m'énerve pas. Je viens de te dire que je m'en fous. Je me fous même que tu ne m'aies pas prévenue avant de jouer ton numéro de disparition en Suisse.

— Si je ne t'ai rien dit à propos de ce voyage, c'est parce que je n'avais pas envie de me sentir pisté sur un écran radar.

— Chéri, on est exactement sur la même longueur d'onde. S'il y a bien une chose que je ne veux pas, c'est que tu apparaisses sur mon écran radar. Crois-moi. On est raccord là-dessus. »

Qui sait s'il m'écoutait seulement ? J'avais toujours l'impression que la moitié de ce que je lui disais se perdait dans une dimension parallèle. Il avait une drôle de façon de se figer dans l'espace et dans le temps, en me regardant de loin, comme s'il était à l'intérieur d'un grand cube de glace. Une fois sur deux, j'aurais volontiers sacrifié un bras pour savoir à quoi il pensait.

« Oh, un autre truc, dit-il. Parce que, de toute façon, tu vas probablement y penser après coup. Alors oui : j'ai eu des relations avec d'autres femmes là-bas. »

J'imagine que c'était la réponse la plus honnête à une question que je n'avais absolument pas posée.

« Qu'est-ce qui te fait croire que ça m'intéresse ?

— C'est parce que tu te comportes comme une femme mariée, dit-il.

— Si je me comportais comme une mariée, tu aurais un procès sur le dos et la moitié de ton camping-car serait à moi avant même que tu t'en rendes compte. Si quelqu'un joue au couple, là, c'est toi : tu agis comme un putain de mari en disparaissant sans un mot pour aller coucher avec des Européennes.

— Je pensais qu'on était tous les deux d'accord là-dessus.

— On est tous les deux d'accord. C'était juste un

argument. Laisse tomber. Tu sais quoi ? Je ne pense même pas que nous ayons légalement le droit de nous disputer à propos de notre mariage. Ce n'est rien de plus qu'un papier rempli à la va-vite sur le coin d'un bureau. Ce n'est même pas un mariage blanc. Ce n'est rien du tout. Alors, s'il te plaît, pouvons-nous éviter cet ennuyeux sujet à l'avenir et arrêter de faire semblant d'en avoir quelque chose à foutre ?

— J'essayais juste d'être pragmatique. Je te dis tout ça maintenant, comme ça, ça ne posera pas de problème plus tard.

— Eh bien, je te remercie, Fenton, rétorquai-je en posant la main sur son épaule, mais, quel que soit le plaisir que tu prennes à imaginer que ta vie sexuelle m'intéresse, ce n'est pas le cas. Donc pas besoin de tourner autour du pot ou de ne pas tourner autour du pot. »

Fenton laissa échapper une petite toux et dit :

« Bon, peu importe. Je dois aller déjeuner avec mon père, c'est son anniversaire aujourd'hui. »

Waouh ! Juste quand on serait prêt à parier que quelqu'un a été conçu dans une éprouvette, on découvre qu'il a des parents. Il fit demi-tour pour s'en aller et, alors qu'il était à mi-chemin de l'étroit couloir aménagé entre les rayonnages de livres, je le rappelai.

« Attends, je peux te poser une question ? »

Il s'arrêta, l'air aussitôt ennuyé :

« S'il ne tenait qu'à moi, non, mais j'imagine qu'on peut invoquer la liberté d'expression et tout ça…

— Je me demandais pourquoi tu habites dans un camping-car, si t'as un père, putain ! Et si ça se trouve, tu as même une mère, je n'en sais rien.

— Je ne peux pas avoir un père *et* un camping-car ?

— Bon, ce n'est pas illégal, mais c'est un peu bizarre. Pourquoi tu habites là-dedans et pas avec ta famille ?

— J'ai vingt et un ans. Je suis assez vieux pour boire, jouer de l'argent, fumer et posséder un camping-car.

— Ok, d'ac. Je me disais juste qu'il valait mieux poser la question, au cas où… Je préfère être au courant s'il se passe un truc vraiment bizarre. J'en sais rien, genre si ta famille faisait partie de la mafia ou quoi. Tu sais que toutes les familles mafieuses vivent en Floride. C'est pour ça qu'il y a autant d'épiceries italiennes partout.

— À moins qu'il existe une mafia suédoise, je pense que tu peux exclure cette hypothèse. »

L'espace d'un instant, j'avais oublié ses cheveux blond paille et ses yeux bleus.

« C'était juste une remarque comme ça, Fenton, dis-je en haussant les épaules. Si tu veux à tout prix faire le mec chelou et mystérieux, je ne me mettrai pas en travers de ton chemin. Je ne voudrais surtout pas écorner ton image ou quoi que ce soit. »

Fenton soupira.

« C'est quoi ton problème ?

— Rien. Mais puisqu'on est si sincères aujourd'hui et qu'on se parle sans détour, je me disais juste que j'allais profiter de l'occasion pour savoir s'il y a des histoires louches qui te concernent et que je devrais connaître. C'est tout. »

Il leva les yeux au ciel.

«Ma mère s'est remariée quand j'avais cinq ans. Elle vit dans l'Oregon avec son nouveau mari et leurs gosses. Mon père est comptable. Il habite à quelques rues d'ici, et si j'ai déménagé dans un camping-car il y a quelques années, c'est parce que… Bon, tu as des parents, est-ce que j'ai vraiment besoin de te faire un dessin ? »

Je secouai la tête.

« Non, c'est pas la peine. »

Et il disparut.

Un vent violent commençait à balayer les rues quand Jethro et moi nous mîmes en marche vers la maison cet après-midi-là. Des nuages orageux encombraient le ciel qui miroitait entre les branches agitées des arbres. Il rayonnait d'une couleur vert pâle qui, d'une certaine façon, semblait provenir d'un autre monde.

« Il y a de l'orage dans l'air à la maison, dis-je, anxieuse, en regardant fixement le ciel.

— Comment tu le sais ? demanda Jethro.

— Je n'ai qu'à regarder le temps qu'il fait. »

Ses yeux s'agrandirent.

« Tu peux prévoir le futur en regardant le temps ?

— C'est la meilleure façon de faire, si tu veux savoir.

— Ça n'a aucun sens.

— Les journées romantiques comme aujourd'hui sont faites pour que des drames éclatent, Jethro. C'est le décor idéal pour une tragédie. Ou pour une comédie grinçante. »

Nous poursuivîmes lentement notre chemin, puis il dit :

« Ben, moi je ne crois pas qu'on puisse prédire l'avenir. Je pense que les choses arrivent et puis c'est tout.

— Je ne te demande pas de croire quoi que ce soit. J'énonce simplement un fait : il se passe des trucs à la maison et j'ai le pressentiment que les ennuis ne commenceront pas avant mon arrivée, parce que j'en suis l'ingrédient principal.

— Alors, qu'est-ce qu'on fait ? demanda-t-il, un peu inquiet malgré sa prétendue incrédulité.

— On ouvre la porte d'un coup et on fonce.

— Pourquoi foncer si tu sais que ça va mal se passer ?

— Parce que je suis curieuse, Jethro. La curiosité prend toujours le dessus avec moi.

— Et tu ne pourrais pas plutôt te faufiler par-derrière et essayer de voir ce qui se passe ?

— Oui, bien sûr, mais après, tout le reste de ma vie, je me demanderais ce qui se serait passé si j'avais ouvert la porte d'un coup et déboulé à l'intérieur. »

Jethro détourna le regard.

« Tu es bizarre.

— À ce qu'il paraît. Attends qu'on arrive et tu verras à quel point. »

Nous nous approchions de la maison comme s'il s'agissait d'une énorme bombe à retardement. Elle avait l'air assez calme de l'extérieur, mais ce ciel vert palpitant pesait dessus et un sac en plastique rampait dans l'allée où s'engouffrait le vent. On peut deviner beaucoup de choses en regardant des sacs en plastique abandonnés les jours de grand vent. Nous traversâmes la véranda, j'introduisis la clé dans la serrure et ouvris grand la porte. Pendant quelques secondes, nous attendîmes là que quelque chose se décide à se produire. Puis Hannah sortit de la cuisine et arriva dans le couloir. Quand elle me vit, elle s'arrêta et ne put réprimer un sourire.

«Putain de merde, Hester, putain de merde, dit-elle en secouant doucement la tête.

— C'est Hester?»

J'entendis la voix chancelante de ma mère, en provenance de la cuisine.

«Ouais, dit ma sœur avant de se retourner vers moi. Je crois que maman veut te voir.»

Ma mère était assise à la table de la cuisine. Le téléphone et une montagne de Kleenex usagés étaient éparpillés autour d'elle. Du mascara mélangé à des larmes avait coulé sur son fond de teint et séché à mi-chemin; du coup on aurait dit que son visage glissait tout doucement vers le sud. Quand elle me vit dans l'entrée, son œil droit tressauta. Elle avait du mal à garder le contrôle de son corps quand elle était bouleversée. Je ne bougeai pas, attendant qu'elle se décide à cracher le morceau.

«Quoi? demandai-je finalement. Qu'est-ce qu'il y a? Est-ce que quelqu'un va me dire ce que j'ai fait?»

Ses paupières étaient bouffies et ses yeux injectés de sang; sa coiffure, en revanche, était toujours aussi moche et impeccable. D'aussi loin que je me souvienne, elle avait toujours eu cet éternel look capillaire de journaliste télé. Pas une mèche qui ne soit à sa place.

«Je ne sais pas, dit-elle, la voix tremblotant dramatiquement. Je ne sais vraiment pas si je suis en état d'avoir cette conversation avec toi, là, maintenant, Hester. Ou plutôt devrais-je dire madame Flaherty ? »

J'éprouvai le désir d'abandonner mon corps à la gravité et parvins tout juste à me retenir à la porte pour garder l'équilibre. En sentant le contact de la poignée sous mes doigts, je caressai la pensée de me mettre à courir dans cet après-midi vert, sauter par-dessus la barrière d'un bond agile et disparaître pour toujours. Mais, en y réfléchissant à deux fois, je fus d'avis que rien ne pourrait être plus intéressant que ce qui allait se passer maintenant. J'ai toujours eu ce défaut : quand je suis dans la merde jusqu'au cou, je dois savoir jusqu'où il est possible de s'enfoncer.

Écoute-moi bien, poupée[1]

J'imagine que quand tu épouses secrètement un poète qui veut t'exploiter comme matériel littéraire, il vaut mieux que tu prennes au moins une minute pour réfléchir à ce que tu dirais à tes parents s'ils venaient à découvrir le pot aux roses. Moi, je n'y avais pas pensé. Franchement, il y a des gens qui ont subi des lavements plus significatifs que cette union, alors pourquoi aurais-je envisagé de leur en parler ? Annoncer à mes parents que je m'étais mariée aurait eu l'air d'une bien triste blague… Mais t'es fichue dans ce monde si tu ne prévois pas de filet de sécurité, de plan de secours et de mensonges pour sauver ta peau le moment venu. Et le moment finit toujours par venir, j'oublie ce petit détail trop souvent. Le moment vient et tu te retrouves à genoux, tâchant frénétiquement de ranger un bordel qui s'étend jusqu'aux confins de l'horizon. Et évidemment, les seuls mots que tu arrives à prononcer se trouvent être exactement ceux qu'il ne fallait pas dire. Ils résonnent dans la pièce et

---

1. Le titre de ce chapitre, « Looky here, mama », est inspiré d'une chanson de Blind Willie McTell intitulée *Your Southern Can Is Mine*.

finissent par te retomber dessus, et tu n'as plus qu'à souhaiter pouvoir ramper à reculons jusqu'à l'utérus d'où tu es issue, rétrécir à la taille d'un être unicellulaire et te dissoudre dans le néant.

« Non, mais écoutez, il y a des gens qui ont subi des lavements plus significatifs que ce mariage… »

Je me tenais debout dans le salon. Toute ma famille était installée autour de la table basse, les yeux rivés sur moi, en attendant mes explications. Mon contrat de mariage traînait sur la table. Le docteur Griffith, notre thérapeute familial, se tenait face à moi, un stylo à la main et un carnet sur les genoux. Ma mère n'avait pas cessé de pleurer depuis la veille, lorsque j'étais rentrée de la bibliothèque et que je l'avais trouvée dans la cuisine cernée de Kleenex. Mon père avait l'air ennuyé ; sa famille avait un don pour trouver de curieux moyens de l'éloigner du parcours de golf et ça l'agaçait. Hannah était assise à côté de lui ; l'excitation faisait trembler le coin de ses paupières. Elle s'amusait comme une folle. Et c'était bien la seule…

« Hester, dit le docteur Griffith, pourquoi choisis-tu l'expression "lavement" pour parler de ton mariage ?

— Je ne sais pas, répondis-je en essuyant la sueur froide sur mon front. J'essayais juste d'expliquer. Si je devais subir un lavement, est-ce que je le crierais sur tous les toits ? Non. Eh bien c'est pareil pour le mariage. Ce n'est pas le genre de truc qui mérite un bulletin d'informations. Je… je ne pensais pas que c'était une obligation d'en parler, c'est tout. Je ne croyais pas que ça intéresserait qui que ce soit.

— Oh, c'est un peu fort ! s'écria soudain ma mère

116

en abattant son poing sur la table basse. C'est vraiment trop fort, ça ! »

Peut-être avait-elle raison. Qui sait ? La seule chose dont j'étais sûre, c'est que je ne pouvais plus respirer dans cette pièce. J'espérais que, pour une fois peut-être, je pourrais tomber dans les pommes. Puis rester dans le coma pendant trente ans et me réveiller quand tout le monde serait mort. Mais je n'étais pas si chanceuse. Je percevais tout avec une acuité accrue. Je pouvais entendre le souffle de chaque paire de poumons, le tic-tac de l'horloge dans la cuisine, la sueur s'écouler sous les aisselles et les postes de télévision hurler dans tout le voisinage.

« Hester, je pense que nous avons besoin d'en savoir un peu plus, reprit le docteur Griffith en tentant un sourire.

— Il me semblait que mon explication se suffisait à elle-même, non ?

— Je ne dis pas le contraire. Mais nous avons besoin que tu te dévoiles un peu plus, d'accord ? Est-ce que tu peux nous aider ?

— J'imagine que non, dis-je sincèrement. Et puis ne serait-ce pas au tour de quelqu'un d'autre de répondre à une question ?

— Eh bien, j'ai peur que tu sois la seule ici à pouvoir nous aider à comprendre ces émotions que tu gardes enfermées à l'intérieur de toi. Personne d'autre ne peut le faire à ta place. »

Je regardai le docteur Griffith comme si j'étais témoin d'un horrible accident de bulldozer.

« Hester, réponds à la question, s'il te plaît, intervint mon père.

— Je suis désolée, je ne renferme aucune émotion, dis-je. La seule chose que je ressens, là, c'est la nausée et j'ai l'impression que c'est plâtré sur ma figure.

— Ce n'est pas une émotion, interrompit ma sœur. C'est un état physique.»

Je fermai les yeux et, avec les derniers lambeaux d'énergie qu'il me restait, je parvins à me retenir d'éclater sa tête contre l'angle de la table basse en verre. Je ne tressaillis même pas. Puis je rouvris les yeux.

«Le truc, c'est que je pourrais parler sans m'arrêter pendant trois jours, je jure devant Dieu qu'aucun de vous ne comprendrait un seul mot de ce que je raconte. Et j'aimerais ajouter que vous savez cela aussi bien que moi. Ce que je ne comprends pas, c'est pourquoi on s'inflige ce calvaire chaque fois que quelqu'un se coince le doigt dans une porte. Je pense qu'il est grand temps d'admettre que, de toute façon, nous n'en avons rien à foutre les uns des autres. Tout le monde s'en tape ! On n'arriverait pas à en avoir quelque chose à foutre, même si on essayait. Et si on y réfléchit, c'est une bénédiction. Si on profitait vraiment de nos dysfonctionnements, on pourrait tous être carrément insouciants, putain ! »

Tout le monde resta silencieux, les muscles douloureusement tendus, prêt à bondir et à dégainer un semi-automatique. Seule la présence du psy dégarni nous retenait.

«Désolée, je ne voulais pas dire "putain", ajoutai-je comme d'habitude avec ma maladresse de repentie.

— Pourquoi tu te crois obligée d'être si blessante, Hester ? chouina ma mère.

118

— J'en sais rien, j'imagine que ça me vient naturellement. Je ne me force même pas.

— Comment peux-tu me traiter comme ça ? Est-ce que tu te rends compte que j'ai sacrifié neuf mois de ma vie pour toi ? Neuf mois ! Combien de sang, de sueur et de larmes tu m'as coûté ? Et tu te maries en secret, et tu me rejettes comme ça de ta vie ? Tu ne crois pas que tu en as assez fait ? »

Je me contentai d'admirer sa performance. Je reconnais que je n'avais plus de compassion en réserve. À ce stade, je n'aurais même pas été capable de me pencher pour empêcher qu'un lapin soit soufflé de la surface de la terre par un de ces méchants très cruels qui traînent toujours dans les livres de contes et dans les dessins animés. J'étais pressée comme un citron, complètement asséchée. J'aurais aimé me trouver au sommet d'une montagne quelque part en Australie, mais malheureusement je me tenais dans le salon de mes parents. Et le pire, c'est qu'il y avait là des spectateurs, les yeux rivés sur moi ; ils attendaient mon monologue et je n'avais d'autre choix que de le leur servir.

« Je n'avais pas conscience que me marier était un crime. Si j'avais su, j'aurais probablement mieux caché ce certificat. Mais je ne regrette pas du tout cette histoire de mariage, si c'est ce que vous attendez de moi. J'aimerais pouvoir vous dire le contraire, pour qu'on puisse en finir au plus vite avec cette mascarade. Mais tout ce que je peux dire, vraiment, c'est que ça me chagrine que mon mariage vous fasse l'effet d'une grave intoxication alimentaire. Ça m'est déjà arrivé, et ce n'est pas marrant. Je crois que je suis vraiment désolée. »

Ma mère me lança un regard furieux.

«Oh, je suis contente que tu croies être désolée! Ça règle tout, n'est-ce pas? Alléluia! Pourquoi on n'organiserait pas une fête? Pourquoi on ne se soûlerait pas tous ensemble pour célébrer le fait que tu croies être désolée?»

Puis elle se remit à pleurer. Il me semblait assez évident que nous tournions en rond, mais le docteur Griffith avait un avis différent sur la question.

«Bien. C'est bien. Nous avançons, là. Hester, comment tu te sens face à la réaction de ta mère?

— Profondément purgée», répondis-je avec un sourire mi-figue, mi-raisin.

Et ai-je précisé que j'avais un œil au beurre noir? La veille, un grille-pain était entré en collision avec ma tête. Ma mère avait prévu de le balancer contre le mur à côté de moi, mais les larmes qui brouillaient sa vue auraient, selon elle, entraîné une petite erreur de trajectoire. Après que j'eus heurté le sol du couloir dans ma chute, elle avait levé les yeux une seconde et lâché:

«Merveilleux! Regarde ce que tu as fait, en restant plantée là! Maintenant tu seras probablement défigurée à vie et tu n'arriveras jamais à rien comme ça!»

Cela faisait à peine un quart d'heure que la séance de thérapie avait commencé. Quinze minutes et j'avais déjà la sensation d'être en enfer depuis assez longtemps pour demander au diable si l'éternité ne touchait pas à sa fin. Honnêtement, je ne savais pas comment j'allais pouvoir tenir une heure entière dans cette pièce. Avec le bleu autour de mon œil gauche qui brûlait tellement qu'il virait au rouge, la douleur ravalée, la nausée, la chaleur et l'idée que nous allions passer encore davantage de temps à parler des raisons qui m'avaient poussée à épouser Fenton. Alors je fis la seule chose à faire dans ce genre de situation.

«Est-ce que je peux aller aux toilettes?»

Hannah leva les yeux au ciel.

«Elle essaie juste de s'enfuir, docteur Griffith.

— Est-ce que tu essaies juste de t'enfuir, Hester? demanda-t-il.

— Non. Il faut que j'aille aux toilettes.

— Bon sang! grommela mon père. À ce train-là, on n'avancera jamais.

— Tu dis ça pour pouvoir retourner jouer au golf, hurla ma mère. Aucune d'entre nous ne compte pour toi, hein?»

(N'était-ce pas précisément ce que j'avais essayé de démontrer un peu plus tôt?)

«Excusez-moi», dis-je en m'éclipsant discrètement vers la porte.

Je grimpai l'escalier et ouvris à la volée la porte de la chambre d'amis où Jethro était étendu sur son lit, avec une montagne de bandes dessinées. Il leva les yeux.

«Comment ça se passe, en bas? demanda-t-il.

— Je suis venue te dire au revoir. Je m'en vais. Et si je reviens ici un jour, ce sera parce qu'une voiture m'aura renversée et qu'on aura uniquement trouvé cette adresse dans mon portefeuille.

— Où tu vas aller?

— Je ne sais pas.

— Je peux venir?

— Chéri, je pars pour toujours.

— Ouais, je sais.»

C'était là que j'étais censée le convaincre, la gorge nouée, qu'il serait plus prudent pour lui de rester ici et d'attendre que sa mère rentre d'Hawaii avec oncle Norman. J'étais censée lui dire que ce ne serait pas une vie pour un petit garçon. Que c'était trop risqué. J'aurais dû le prendre dans mes bras, lui souhaiter bonne chance et lui dire que peut-être, un jour, on se recroiserait.

«Jethro, dis-je solennellement, si tu fais ta valise assez vite, tu peux venir.»

Il sauta aussitôt de son lit et commença à fourrer toutes ses bandes dessinées dans un sac en plastique. Je courus jusqu'à ma chambre et jetai un coup d'œil à l'ensemble de mes affaires. J'évaluai à environ quarante-cinq secondes le temps dont je disposais avant que quelqu'un monte l'escalier et tape à la porte de la salle de bains. Faire mes bagages dans l'urgence n'a jamais été mon fort. J'aurais préféré ne pas les faire du tout, mais ce n'était pas possible non plus. Je partais pour toujours, je laissais derrière moi dix-huit années de ma vie; ça aurait été anti-romantique et probablement illégal de m'en aller sans rien emporter du tout. Je grimpai donc sur mon lit et décrochai le diplôme de Ronald Peterson. Je mis un manteau, une écharpe et un chapeau, attrapai quelques robes et deux livres de bibliothèque au hasard. Pile au moment où j'ouvrais la fenêtre, Jethro arriva dans le couloir en courant, avec sa valise et son sac plein de BD. Nous ne dîmes pas un mot. Nous escaladâmes la fenêtre, marchâmes à quatre pattes sur le toit et sautâmes sur l'herbe dans l'arrière-cour.

Lune bien pleine

Ce soir-là, à vingt heures, j'étais assise sur un banc dans le parc, une clope entre les doigts. Elle se consumait lentement, pourtant je tirais dessus nerveusement toutes les deux secondes. Je n'avais aucune raison d'être nerveuse, mais je l'étais. Mon estomac faisait des triples saltos. Je n'arrivais même pas à savoir exactement d'où venait tant d'agitation, tout ce que je savais c'est que ma main tremblait quand je la tendais devant moi et que mon cerveau ne m'octroyait aucun répit. Mes pensées surgissaient dans ma tête et en ressortaient aussitôt, comme si elles n'avaient rien de mieux à faire. Sans fermer les portes derrière elles.

Je fixais la braise rougeoyante au bout de mes doigts blancs en me demandant si je n'allais pas bientôt manquer d'argent pour m'acheter des cigarettes ; comment me sentirais-je quand j'aurais besoin de nicotine sans avoir les moyens de m'en procurer ? Mais ça ne m'inquiétait pas outre mesure. Il y avait des chances que chaque clope fumée n'en devienne que plus grisante.

Il avait un peu plu et mes cheveux pendaient sous chacune de mes oreilles en mèches luisantes et mouillées. Jethro se trouvait à l'intérieur d'une supérette ouverte vingt-quatre heures sur vingt-quatre de l'autre côté de la route. Je lui avais dit de m'attendre là-bas parce que j'avais une affaire délicate à régler. À côté de moi traînaient mon sac. L'après-midi romantique s'était transformé en soirée romantique. J'écrasai une seconde clope et commençai à lire des instructions pour tricoter un pull à motifs. C'est à cet instant que Fenton se pointa. Il se laissa choir à l'autre extrémité du banc et tourna la tête vers moi, sans grande inspiration.

« Qu'est-ce qui est arrivé à ton visage ? demanda-t-il.

— Un grille-pain m'a attaquée.

— Les grille-pain ne font pas ça d'habitude.

— C'est une longue histoire ; ça t'embête si je te la raconte du début ? »

Je pouvais déjà lire la terreur dans ses yeux.

« Je ne sais pas, dit-il. Est-ce que j'ai envie d'entendre cette histoire ?

— Ouais, probablement.

— Non, probablement pas.

— Ok, probablement pas, mais nous sommes tous obligés d'écouter des histoires que nous n'avons pas envie d'entendre à un moment ou à un autre, alors sois fort. Tu devrais y survivre. »

Fenton haussa les sourcils avec condescendance, mais n'ajouta pas un mot.

« Bon, commençai-je prudemment, tu sais que j'habite avec mes parents ?

— Ouais… »

Je portai la cigarette à mes lèvres.

« Notre mariage n'est plus un secret. Ils sont au courant.

— Qui ça, "ils" ?

— Tout le monde a des "ils", dans la vie. "Ils", c'est les gens qui te regardent bizarrement. Ceux qui se cachent derrière des buissons, prêts à tirer. C'est à cause d'eux qu'on jette des coups d'œil par-dessus son épaule. Dans mon cas, il s'agit de ma famille. Ma mère a appris pour le mariage, elle m'a balancé un grille-pain dessus et la seule chose dont je me souvienne après ça, c'est d'avoir demandé à faire une pause pipi en plein milieu d'une séance de thérapie familiale et d'être sortie par la fenêtre. Et me voilà. »

Il y eut un bref silence. Les yeux de Fenton, figés par l'agacement, ne clignaient pas. Ils étaient grands ouverts, inquiets et sublimement bleus.

« Et donc… est-ce une bonne ou une mauvaise nouvelle ? »

Je souris.

« C'est une très bonne nouvelle.

— Pourquoi ?

— Parce que je n'y retournerai pas.

— Qu'est-ce que ça veut dire, tu n'y retourneras pas ?

— Je n'y retournerai pas, ça veut dire que je n'y retournerai pas. J'ai démissionné de mon poste de champignon dans cette famille.

— Donc tu t'es enfuie de chez toi en courant, hein ?

— Je suis sortie par la fenêtre. Il n'y a aucun moment où je cours dans cette histoire. »

Il me regarda, agacé.

« Tu t'es enfuie, répéta-t-il lentement et avec emphase, comme une petite merdeuse de seize ans en

125

colère contre papa-maman parce qu'ils ne veulent pas lui offrir de BMW. »

Fenton avait un don pour donner son avis sur des sujets auxquels il ne connaissait strictement rien, mais ça ne me surprenait plus. Je me contentai de hausser les épaules.

« Je suis partie, c'est tout ce qui compte. La façon dont je m'y suis prise ne change rien. Bien sûr que j'aurais pu m'enfuir comme une petite merdeuse de seize ans en colère contre ses parents parce qu'ils refusent de lui offrir une BMW… Ou comme une citoyenne mature qui se ménage une sortie magistrale… J'aurais pu m'éclipser comme un plombier qui vient de bâcler un boulot, ou comme un facteur qui n'est pas seulement venu apporter du courrier. J'aurais même pu me tirer comme une jeune mariée de dix-huit ans à qui l'on vient de prescrire du Prozac. J'aurais pu partir d'un milliard de façons, Fenton. Tout ce qui compte, c'est que je sois partie.

— Hester, tu n'es pas dans un film. Tu ne peux pas juste te barrer avec tes pop-corn quand t'en as marre.

— Vraiment ?

— Ouais, alors épargne-moi tes monologues. »

Le regard de Fenton était neutre, mais je pus déceler, dans le réseau rouge des capillaires qui irriguait ses globes, les indices d'une exaspération visible. Il tapa fort contre le banc avec le journal qu'il avait apporté sous son bras.

« Fenton, pourquoi tu n'arrêtes pas de tourner autour du pot ? Dis-moi ce que tu as à dire. De toute façon, je le sais déjà. »

Il leva les yeux vers moi.

«Ok, très bien : tu ne peux pas venir habiter dans le camping-car avec moi. »

Ça lui avait pris pas mal de temps, mais au moins, maintenant que cette règle était énoncée, je pouvais m'atteler à éroder sa résolution. Il avait déjà l'air vaguement coupable. Comme si une minuscule conscience malingre entamait un tout petit peu son aura de connard. Et d'ailleurs, ça lui donnait l'air adorable.

«Hester, je ne peux pas vivre avec quelqu'un. J'ai besoin d'être seul. Je ne peux pas travailler quand il y a des gens, et ma vie dépend de mon travail. Donc, pour faire simple, si tu emménages avec moi, je suis foutu. »

Je me contentai de sourire.

«Si je ne peux pas écrire, alors autant m'ouvrir les veines tout de suite, poursuivit-il. Tu comprends ? Je ne suis pas fait pour me marier et aller à des réunions parents-profs et remplir des feuilles d'impôt. Il faut que tu rentres chez toi.

— Ah ouais ?

— Hester, je suis sérieux, tu n'emménageras pas avec moi dans le camping-car, et c'est mon dernier mot. Rien de ce que tu pourras dire ne me fera changer d'avis, donc autant que tu récupères cette petite pile de vêtements bizarres que tu trimballes et que tu ramènes ton cul chez toi. »

Je posai mes mains avec assurance sur ses épaules.

«Maintenant, écoute : que tu ne veuilles pas aller à des réunions parents-profs, c'est une chose, mais j'ai bien peur qu'à aucun moment tu n'aies acquis le droit de me dire où je dois poser mon cul. »

À ce stade de la conversation, un autre silence

circonspect s'installa. Je fixais je ne sais quoi à ma gauche et il scrutait le sol.

« Peu importe. Tu ne viendras pas habiter Arlene, point barre, dit-il, brisant le silence.

— Ok.

— Qu'est-ce que ça veut dire ?

— Ça veut dire ok, très bien, d'accord.

— Et c'est tout ? dit-il. D'accord, et c'est tout ?

— Qu'est-ce que tu veux que je fasse ? que je pique une crise ? Il se trouve que je comprends que tu n'aies pas envie d'habiter avec moi. »

Il soupira comme si je venais de balancer une bombe sur ses genoux et qu'il n'y avait tout simplement plus d'espoir.

« Et puis d'ailleurs, pourquoi est-ce que tu as tellement envie que je rentre chez moi ? ajoutai-je en allumant une nouvelle cigarette.

— Tu préfères camper devant la bibliothèque avec les clochards ? demanda-t-il.

— Clairement.

— Écoute, le problème, en réalité, c'est que tu es une emmerdeuse chronique et que tu es têtue. De toute évidence, tu vas faire exactement l'inverse de ce que je te dis de faire. Et tu vas probablement finir comme dans ces reportages télé à la con sur les ados enceintes et sans domicile. »

Une seule réplique me vint à l'esprit.

« Qu'est-ce que tu en as à foutre ? »

Nous avions tous les deux avancé d'excellents arguments.

« Si tu emménages dans le camping-car, tu vas me rendre fou. Tu vas nous rendre fous tous les deux.

128

— Ouais, je sais. »

Un autre silence.

« Nous ne sommes pas faits pour vivre ensemble, Hester. Nous sommes faits pour rester aussi loin l'un de l'autre que la circonférence de la Terre le permet.

— On tenterait le diable si on essayait.

— Ouais.

— Et en plus, on serait obligés de quitter la ville », dis-je.

Il eut l'air perplexe, comme si toutes ses pensées s'étaient arrêtées de hurler en même temps.

« Quitter la ville ?

— Ben, je ne peux pas rester ici. Si je restais, je finirais par croiser ma famille à un moment ou à un autre et ça foutrait en l'air toute ma mystérieuse disparition. »

Je pris la cigarette numéro trois dans le paquet. Fenton suivit le mouvement et m'observa attentivement joindre mes mains sur mes genoux, comme une écolière catholique prête à affronter le monde avec une bible et un air d'insouciance dévastateur.

« Ok, dit-il. On quitte la ville. »

J'adressai un sourire discret à l'univers et ses mystères. Ça faisait donc longtemps que Fenton Flaherty avait envie de quitter la ville, mais il n'avait pas trouvé de raison valable jusque-là ! Comme c'est bizarre de se rendre compte qu'on est tous dans le même bateau. Dans la même putain d'arche de Noé.

« Ne va pas t'imaginer des choses, ajouta-t-il. Je n'ai aucune envie que tu emménages avec moi. Jamais. En aucune circonstance. D'ailleurs, c'est certainement l'une des choses les plus terrifiantes que je puisse imaginer. Si je fais ça, c'est pour mon livre et c'est tout.

— Ouais.

— Si je n'étais pas en train de travailler sur ce projet, je n'aurais jamais envisagé un truc pareil, pas même un quart de seconde.

— J'ai compris, Fenton, j'ai compris. »

Ce soir-là, nous abandonnâmes tous trois notre ville natale à son triste sort. La nuit était trop sombre pour faire nos adieux proprement. Or il était clair pour nous que nous n'y remettrions jamais les pieds, aussi la situation requérait-elle un moment de recueillement émouvant et solennel ; mais, comme je l'ai déjà dit, il faisait trop sombre. Nous dépassâmes la laverie, et l'instant d'après nous n'avions plus pour seule compagnie que la campagne déserte et ses arbres perdus dans l'obscurité. Tout s'était enchaîné si vite ! Je me retournai sur mon siège et regardai la bande d'autoroute qui se déroulait dans notre sillage.

« Qu'est-ce qui est arrivé aux panneaux qui indiquent les limites de la ville ? m'étonnai-je. Je n'en ai pas vu un seul... J'attendais cette occasion pour pouvoir lancer une phrase marquante, qui me survivrait...

— Dis-moi que tu ne viens pas de dire ça », murmura Fenton.

Je venais de le dire pourtant. Ce que je n'avais pas pris la peine de dire à Fenton, en revanche, c'était que mon fils adoptif de dix ans se cachait à l'arrière de son camping-car et qu'il était en train de lire des BD derrière le lit déplié. Je n'avais pas encore complètement résolu cette partie du problème. En fait, je n'avais même aucune idée de la façon de m'y prendre pour le résoudre. Mais, sur le coup, ça ne m'inquiétait pas plus que ça. Je m'en soucierais demain, peut-être. Ou quand je n'aurais d'autre choix que de m'inquiéter.

Pour le moment, je n'avais qu'une envie : me vautrer librement dans l'intense étrangeté de l'instant présent. Quelques mois auparavant, je ne savais même pas que Philosophie-Man possédait un camping-car, et là, j'étais assise à côté de lui, mon époux, traversant la campagne, avec mon petit cousin grassouillet caché à l'arrière. Quelques heures plus tôt, je me tenais debout dans notre salon, pataugeant dans le pourquoi du comment j'étais un vilain petit canard, de la sueur dégoulinant de mes tempes ; et maintenant, personne ne me demandait plus d'explications.

J'ignorais qu'il était possible de se sentir aussi légère.

Les Raisins de la colère

Je me réveillai dans une position bizarre : la tête appuyée contre la porte côté passager, une jambe au sol, l'autre allongée en travers du siège, sur les genoux de Fenton. J'avais l'impression que ma nuque était brisée. Il faisait encore noir dehors, mais les premières traînées grises du jour commençaient subtilement à poindre à l'est. Je restai étendue comme ça, sans bouger. J'imagine qu'il y avait quelque chose d'à la fois réconfortant et curieux à observer le visage de Fenton quand il ignorait qu'on le regardait. Non pas que ce fût particulièrement agréable, mais les pores de sa peau semblaient avoir évacué toutes les pensées et tous les calculs qui constipaient ses traits et s'auto-régénéraient chaque jour. Peut-être cela avait-il un rapport avec la conduite de nuit, peut-être était-ce sa façon de faire l'amour à Arlene. Je le fixai avec davantage d'attention et éprouvai un bref pincement de jalousie. Il avait presque l'air équilibré.

Même si l'idée de Fenton avec une autre femme venait un jour à m'intéresser, une question aussi ennuyeuse et banale que l'adultère échouerait probablement à éveiller de la jalousie en moi. Mais, voyez-vous, si un véhicule avait le pouvoir de faire de Fenton

Flaherty un être humain digne de ce nom, là il y avait de quoi être jalouse ! Au moins pendant une seconde. Tout compte fait, la vie était trop agréable ce matin pour laisser la jalousie y jouer un rôle majeur.

Doucement, la campagne défila dans la lumière du jour et tout avait l'air si doux et si ravissant qu'il était difficile de croire aux circonstances qui nous avaient conduits ici. J'en oubliai combien absurdes étaient nos histoires, les raisons de notre mariage, ma famille et l'avenir incertain qu'on s'apprêtait à affronter. D'ailleurs, j'en vins presque à oublier le gamin à l'arrière du camping-car. Je n'ai jamais aimé le soleil, mais ce matin il me semblait faire allusion à ces légendes intouchables : amour et bonheur.

« C'est clair que la vie est belle, vue d'ici », dis-je, la voix encore ensommeillée.

Fenton se retourna vers moi, surpris, puis baissa les yeux et aperçut mon pied posé sur ses genoux.

« Bon Dieu, tu n'as pas assez de place ? demanda-t-il en s'en débarrassant brusquement.

— Désolée. Je dormais. Mais très franchement, si quelqu'un avait dû se rendre compte que mon pied grimpait sur ses genoux, tu ne crois pas que la logique aurait voulu que ce soit toi ?

— Je suis resté concentré sur la route toute la nuit.

— Il n'y a pas de nerfs dans tes cuisses ?

— Hester, peu importe. S'il te plaît, fais juste attention aux parties de ton corps qui se déplacent de façon aléatoire pendant le voyage, ok ?

— Ok, je ferai attention aux parties de mon corps qui se déplacent de façon aléatoire. »

Il y a un silence d'une qualité très particulière qui

suit les disputes lorsqu'elles se concluent de manière infantile. Inutile de dire que Fenton et moi y étions habitués. Il alluma la radio et nous écoutâmes les drôles de paroles que déversaient les enceintes : *Par un gouverneur d'Oklahoma, il fut condamné… à vingt ans de prison pour l'avoir aimée*[1]. Ça me fit réfléchir.

«Ne perdons pas notre temps à nous disputer pour rien, dis-je avec le plus grand sérieux. À partir de maintenant, si on veut se disputer, trouvons un sujet qui en vaille la peine.

— Qu'est-ce que tu veux dire ?

— Bah, il me semble que jusqu'ici aucune de nos disputes n'a eu de grandes répercussions sur la suite des événements.

— Eh bien, peut-être que je préfère éviter les grandes répercussions, répliqua-t-il, refusant obstinément de reconnaître la pertinence de mon propos.

— Crois-moi, elles sont inévitables.

— Non, elles ne le sont pas. »

Je levai les yeux au ciel dans mon for intérieur.

«Si, je t'assure. Vu comment fonctionne le monde, tu n'auras jamais une minute de répit. Tu ne sauras jamais avec certitude ce qui va t'arriver l'instant suivant. Il y a toujours anguille sous roche. Même au moment où je te parle.

— Hester, il est beaucoup trop tôt pour que tu t'exprimes. »

Bon, je pensais que ça aurait été une chouette

---

1. «He got twenty years for lovin' her from some Oklahoma governor» est extrait d'une chanson de Tom Waits intitulée *Swordfishtrombone*.

façon de le mettre au parfum pour Jethro, mais il y avait du vrai dans sa remarque. Fenton était fatigué d'avoir roulé toute la nuit et étrangement crispé par les énormes quantités de café ingurgitées. Je remarquai ses yeux injectés de sang et les tics qui agitaient de temps à autre ses mains fines sur le volant. Plus j'y pensais, plus j'étais convaincue que ce n'était pas le moment de parler de Jethro. En fait, ça aurait même été risqué.

Je me tortillai sur mon siège pendant quelques secondes, résolue à bien me tenir et à laisser mon époux tranquille. Évidemment, mon plan foira. Mon humble cerveau était en effervescence.

« Fenton, je pense qu'on devrait aller en Californie. Tu vois, on pourrait suivre la route historique des fermiers pendant la Grande Dépression. Tu ne trouves pas qu'on ressemble un peu à ces gens de l'époque, dans leur Ford T, avec leur famille à l'arrière ? »

Fenton répondit du tac au tac par un « non » tranchant.

« Réfléchis un peu. On est des réfugiés, nous aussi. On laisse tout derrière nous, parce que si on était restés, on sait que le destin se serait chargé de réduire nos vies en cendres. »

Il secoua lugubrement la tête.

« Ça mériterait vraiment une série télé, tous ces trucs qui sortent de ta bouche. »

Fenton avait d'étranges techniques pour vous faire rougir.

« Désolée, dis-je en souriant discrètement. Alors, qu'est-ce que tu en penses ?

— De quoi ?

— De la Californie.

— Putain, on ne va pas en Californie. On va à Chicago.

— Pourquoi ?

— Pourquoi ? Parce que j'écris un livre qui se passe là-bas et pas un essai historique sur la migration des Ford T dans ce pays.

— Qu'est-ce qu'il y a de si intéressant à Chicago ?

— Qui a dit qu'il y avait des trucs intéressants à Chicago ?

— Personne.

— Donc où tu veux en venir ? » demanda-t-il nerveusement.

Il avait tendance à paniquer quand le but d'une discussion ne se mettait pas à clignoter en lettres de néon au bout de trois phrases.

« Nulle part, répondis-je doucement. Je me demande juste pourquoi tu es si enthousiaste à l'idée d'aller visiter la capitale du Midwest s'il n'y a rien d'intéressant à faire là-bas.

— Oh, parce qu'il y a un intérêt à aller en Californie, peut-être ?

— Ben l'intérêt, de toute évidence, ce serait de passer du temps à la campagne pour éprouver exactement les mêmes émotions que les fermiers des années 1930.

— C'est censé être intéressant, ça ? répliqua-t-il. Pourquoi tu ne m'as pas dit avant qu'on se marie que ta bible, c'était *Les Raisins de la colère* ?

— Je n'y ai pas pensé », répondis-je.

Je n'y avais pas pensé pour la simple et bonne raison que *Les Raisins de la colère* n'étaient pas vraiment ma bible ; mais cette idée me plut, donc je ne pris pas la peine de le détromper à ce sujet.

« Bon, bref, dit Fenton, plus déterminé que jamais en agrippant le volant, si on va à Chicago, c'est parce que la conclusion de mon roman se passe là-bas. Et honnêtement, tu n'as pas ton mot à dire là-dessus. C'est mon camping-car, j'ai payé l'essence et j'ai comme l'impression que je vais devoir financer aussi tout le reste du voyage.

— Calme-toi. J'ai du liquide et j'ai pris ma carte bleue. »

Il parut un peu décontenancé. De toute évidence, il comptait beaucoup sur ce rôle de martyr, obligé de subvenir aux besoins de sa femme. Mais il répondit avec un haussement d'épaules :

« Ok, on a quelques dollars de plus… Mais ça reste mon camping-car.

— Ouais, t'as raison. Sauf sur un point : ce n'est pas juste "quelques dollars de plus". On parle de tout l'argent économisé pour mon inscription en fac, là. Il y a assez sur ce compte pour faire de moi une neurochirurgienne.

— Tu abandonnes la neurochirurgie pour ça ?

— Ouais.

— Tu m'épates.

— Ben j'allais quand même pas sauter dans un camping-car avec une petite racaille de poète sans un sou en poche. »

Il garda le silence. De la même façon qu'il m'avait donné une communauté à laquelle appartenir, je venais de lui offrir un adjectif pour qualifier son activité et j'étais aussi satisfaite d'appartenir à la confrérie des *Raisins de la colère* que lui, d'une certaine façon, d'être traité de «petite racaille de poète». Une forme de paix avait été restaurée pour le moment. Le soleil virait au doré et le ciel se débarrassait de ses nuages, le poste de radio déversait des ballades mexicaines démodées et la route semblait chargée de la puissance tranquille et émancipatrice que la littérature et le cinéma lui confèrent. Je croisai mes jambes et les posai sur la boîte à gants tandis qu'Arlene, pilotée par Fenton, louvoyait au ralenti autour de quelques camions. C'était le genre de moment qu'il faut savourer, sans intervenir. Il était si intrinsèquement parfait que lui ajouter ou lui enlever quoi que ce soit aurait troublé la rare harmonie que nous accordait le destin. La musique mélancolique, la lumière du soleil, la bienveillance avec laquelle notre discussion avait pris fin… Personne au monde, doté d'un minimum de bon sens, n'aurait perturbé ce moment. Hélas, quand j'ai quelque chose en tête, il faut que ça sorte.

«Fenton?

— S'il te plaît, ne parle que si c'est absolument nécessaire, dit-il en levant la main.

— Ok.»

Je poursuivis:

«Je me demandais: tu penses quoi des enfants?»

Silence sombre et irrité. Il répondit comme on s'adresse à un chien qui vient juste de se masturber contre une chaise devant des invités: d'un ton calme et moralisateur, teinté de condescendance.

«Hester, s'il te plaît, explique-moi en quoi il est "nécessaire" d'en parler.

— Fais-moi confiance. C'est important pour moi de savoir ce que tu penses des enfants. »

Fenton se tortilla sur son siège, après quoi il me lança un regard de défaite.

« Bon, si je réponds à ta question, tu dois me promettre de te taire pendant une heure entière. Ça veut dire : ne pas lire les panneaux à voix haute, ne pas me demander si j'ai déjà eu l'appendicite, ni mon opinion sur la chasse aux baleines, rien. Pas un seul son pendant toute une heure. Compris ? »

J'éventai l'air avec ma main.

« Ouais, ouais. Réponds déjà à ma question, espèce de névrosé anal. »

Il prit une inspiration laborieuse et se passa la main sur le front comme s'il devait réciter la Bible à l'envers ou établir un alibi après avoir commis un meurtre.

« Je ne veux pas d'enfants. Et non, je ne vais ni m'attendrir ni devenir sentimental en approchant de la quarantaine. Je ne vais pas tomber amoureux et il ne me viendra pas subitement l'envie de procréer. Je ne vois pas l'intérêt d'encombrer la planète avec des vies humaines supplémentaires qui absorberont le peu d'oxygène qu'il nous reste. Il n'y aura qu'Arlene et moi. Pas de gosses. Pas de femme. Rien.

— Bon, je te suis sur le coup de l'oxygène et tout ça, mais tu penses quoi de l'adoption ? Par exemple, imaginons que tu viennes juste d'adopter un enfant de dix ans. Non seulement aucun nouvel être ne viendrait piller nos ressources naturelles, mais tu n'aurais même pas à gérer tous les désagréments liés à la petite enfance. Ce serait un enfant instantané. Penses-y. »

Il me regarda comme si j'étais bizarre.

« Non, je ne veux pas d'enfant de dix ans instantané. Je ne veux aucun enfant, pour l'amour de Dieu. Tu vas t'en remettre ?

— Bien sûr. »

La vraie question était : Fenton allait-il s'en remettre ? Bon, inutile de nier que je venais de prendre un sacré coup. Je me mordis la lèvre sans comprendre pourquoi il semblait aussi religieusement opposé à cette idée. Je ne lui demandais quand même pas d'adopter une bombe atomique ! Où était le problème ? En plus, de son point de vue, c'était purement hypothétique. Il n'avait absolument aucune raison valable de réagir comme ça. Pas encore, en tout cas. Je lui lançai un regard las.

« Et, au fait, t'es déjà marié, donc je vois pas pourquoi tu prends la peine de planifier aussi énergiquement de *ne pas* te marier.

— Eh ! fit-il en pointant son long doigt devant mon visage, ton heure de silence a commencé. »

J'employai mon heure à bien réfléchir. Il finirait par découvrir le pot aux roses, c'était inévitable – il n'y avait aucune alternative. Incessamment, à un moment ou à un autre, en ouvrant la porte arrière du camping-car, Fenton allait poser les yeux sur Jethro. Ça allait être le bordel, quelle que soit la façon d'envisager les choses, un putain de gros bordel, à en juger par l'opinion de monsieur Flaherty sur l'adoption. Voilà ce que je savais. Mais je ne pouvais rien y faire, alors pourquoi m'en inquiéter ? Je me retournai pour regarder Fenton. Il leva son doigt vers moi comme pour me rappeler sévèrement que l'heure était loin d'être finie. Je m'étendis donc à nouveau sur mon siège et passai le temps en comptant les animaux morts sur la route. C'était mieux que de réfléchir à des trucs qui avaient de l'importance.

Lorsqu'on s'arrêta pour déjeuner, je commandai une double ration en prétextant une grosse fringale prémenstruelle. Fenton leva les yeux au ciel. C'est ainsi que je pus nourrir Jethro. Il s'était installé assez confortablement à l'arrière. Je le trouvai enroulé dans une couverture, étendu sur le lit, entouré de bandes dessinées et d'une collection sans cesse croissante de dessins représentant des pilotes de l'espace. Son visage était détendu et ensommeillé quand il leva les yeux.

« Comment ça va ? demandai-je en m'asseyant à côté de lui.

— Bien, dit-il. Et devant, comment ça se passe ?

— Bien. »

Je le regardai manger pendant un moment, puis je décidai de lui fournir quelques informations essentielles.

« Juste pour info : Fenton est un connard. »

Il hocha la tête.

« Mais c'est pas grave, poursuivis-je. Parce que c'est un gentil connard.

— Comment peut-on être un gentil connard ?

— Les gentils connards te laissent monter à bord de leur camping-car et quittent la ville avec toi. Ils sont assez souples, tu vois. Comprends-moi bien, hein, ils t'emmerdent autant que n'importe qui… Mais il est assez adorable dans son genre. C'est juste qu'il va nous falloir être beaucoup plus malins que ce que je pensais pour le mettre au courant. »

Jethro ne se laissa pas démonter. Il me regarda par-dessus son sandwich en hochant la tête.

« Je ne veux pas te faire peur, je te préviens juste qu'il y aura peut-être de légères turbulences à l'avant.

— Il me faut du café. »

Je tendis le gobelet que je lui avais rapporté de la station-service.

« Merci.

— Je t'en prie.

— Bon, tu vas lui dire, alors ?

— Il s'en rendra bien compte à un moment ou à un autre. Il va piquer un genre de crise de nerfs, puis on arrivera à un arrangement, et on reprendra la route tous ensemble, comme une vraie famille. Et même carrément mieux qu'une vraie famille. »

Jethro paraissait trouver mon plan astucieux, mais il suggéra d'installer un petit coin secret à l'arrière du camping-car où il pourrait vivre, de façon que Fenton ne le trouve pas avant un bon moment ; du coup, il pourrait rester là en tant que passager clandestin, ce qui serait encore mieux.

« C'est sûr que ce serait mieux, acquiesçai-je. Le seul problème, c'est que Fenton mourrait d'une attaque s'il découvrait qu'on a touché à quoi que ce soit dans son camping-car.

Les yeux de Jethro s'éclairèrent.

« Ben, on aurait le camping-car pour nous tout seuls, alors !

— Jethro, tuer des gens, c'est mal.

— Tu viens de dire qu'il aurait une crise cardiaque. Ce ne serait pas un meurtre.

— Ouais, mais je me sentirais coupable quand même.

— Ah...

— D'ailleurs, Jethro, ajoutai-je, très fière de mes principes moraux improvisés, il vaut mieux qu'il sache la vérité. Et le plus tôt possible. Parce que tous les trois, on est coincés ensemble pour une durée encore indéterminée. Et peu importe le nombre d'obstacles qu'on rencontrera en chemin, tant qu'on est parfaitement honnêtes les uns avec les autres. »

Jethro avala une grande gorgée de café et haussa les épaules.

« Pourquoi tu ne lui dis pas tout de suite, alors ?

— Parce que ce serait complètement con. On est trop près de la maison. Il pourrait nous ramener.

— Ah...

— Je veux être sûre qu'on soit assez loin pour qu'il ne puisse pas faire demi-tour.

— Quand est-ce qu'on sera assez loin ?

— Ben... à la frontière du Mississippi, je dirais. »

La voix de Fenton résonna soudain à l'avant du véhicule :

« Tu penses que tu peux ramener ton cul ici avant la prochaine ère glaciaire ? Faut qu'on se grouille. »

Je fis un clin d'œil à Jethro et descendis d'un bond. Nous suivîmes l'autoroute tout au long de la journée, sans presque jamais dévier. Nous traversâmes l'Alabama d'est en ouest, en tentant de capter n'importe quelle radio, nous doublâmes des camions et bûmes des tas de chocolats chauds chaque fois qu'il fallait s'arrêter pour faire le plein. Je suppliai Fenton de me passer le volant quelques heures, mais il refusait de laisser qui que ce soit conduire Arlene sans permis. Je lui assurai que j'avais le permis, mais que je n'avais tout simplement pas eu le temps de l'emporter avec moi. Il dit que ça revenait au même. Je dis que ça ne revenait pas au même du tout. Trois heures plus tard, nous étions toujours en train de nous disputer et je ne sais pas comment nous en étions arrivés à le faire au sujet de Greenpeace. À ce moment-là, je remarquai un grand panneau qui nous souhaitait la bienvenue dans le Mississippi. Tendue, je me redressai sur mon siège.

L'art de vider son sac

Avouer la présence du gamin à l'arrière du camping-car était une mission périlleuse dont il me semblait tout à fait impossible de venir à bout. Je n'étais même pas sûre qu'il existe, dans la langue anglaise, les mots pour expliquer la situation. Je me tournai vers Fenton, hésitante. L'expression sur mon visage devait trahir ce qui allait advenir parce qu'il me lança un regard nerveux et me demanda quel était le problème.

« Heu… »

Ma voix s'évapora et aucun mot n'aurait pu me venir à l'esprit, même pour sauver ma peau.

« "Heu" quoi ? Quoi ?

— Attends une seconde ! Il faut que je formule ça correctement. »

Il se remit à fixer la route, et s'ensuivit un silence insupportable. Je savais que je tenais une allumette au-dessus d'une boîte d'explosifs et qu'il n'y avait aucun moyen d'allumer cette putain de mèche avec élégance. On pouvait tourner ça de la manière la plus stylée possible, au final, les ingrédients resteraient toujours les mêmes : le petit Jethro, dix ans, assis à l'arrière du camping-car, enroulé dans une couverture.

« Bon, écoute, commençai-je à brûle-pourpoint, tu

te souviens quand tu es parti escalader des montagnes en Suisse ?

— Parce que j'écrivais un truc, répondit-il impatiemment. Je ne suis pas allé en Suisse jouer à Heidi, putain. C'était pour écrire un poème. »

Ça m'enleva un peu de pression et je repris, d'une voix rouillée :

« Bref, quand tu es parti faire de la randonnée en Suisse, ou trouver l'inspiration pour ce que tu veux, un poème ou peu importe…

— Hester, pour l'amour du ciel, viens-en aux faits !

— J'essaie juste de te tartiner le truc de beurre, histoire de ménager la délicatesse de ton système digestif. Mais si tu penses pouvoir avaler la vérité toute crue, je te la sers bien saignante dans l'assiette.

— Les faits, Hester.

— Les faits, les voilà : mon cousin Jethro se trouve actuellement à l'arrière de ton camping-car. Il a dix ans et on s'est liés d'amitié pendant que tu étais en Suisse.

— Pardon ? fit-il.

— J'ai dit : il y a un gosse à l'arrière du camping-car. »

Hésitation.

« Métaphoriquement ou… littéralement ? »

J'étais un peu perplexe ; je ne voyais pas trop ce que ma phrase aurait pu signifier métaphoriquement.

« Littéralement, répondis-je.

— À l'arrière d'Arlene ? »

Je le regardai avec le plus grand sérieux.

« Fenton, tu ne me facilites pas la tâche. »

Il ne dit rien, mais sa lèvre supérieure se mit à

frémir de façon bizarre et ses mains à caresser nerveusement le volant. Je me contentai de l'observer, fascinée, attendant aussi patiemment que possible que le spectacle commence. Au bout d'une minute environ, il lança un regard furtif dans le rétroviseur. Puis il appuya sur la pédale de frein et tourna frénétiquement le volant à gauche, obligeant Arlene à s'immobiliser, essoufflée, sur l'herbe du terre-plein central de l'autoroute. La portière s'ouvrit violemment et il disparut à l'arrière. Sans perdre une minute, je dégringolai du camping-car après lui.

Le temps que j'arrive, la porte arrière était ouverte et Fenton se trouvait déjà à l'intérieur. Ça promettait d'être intéressant. Je pris la liberté de mettre au point une explication de dernière minute, en frottant mes mains l'une contre l'autre pour les réchauffer. Je notai tout de même mentalement qu'il vaudrait mieux avoir un monologue en réserve la prochaine fois que je déciderais de mettre les pieds dans le plat. C'était une chose de renverser l'équilibre du monde avec un enthousiasme tout déontologique, mais il fallait d'abord bien étiqueter chaque événement, sinon on pouvait se retrouver sur le bord d'une autoroute, à essayer de les remettre dans un ordre logique sans jamais y arriver. Eh bien, je compris rapidement qu'il n'y avait pas la moindre trace de logique là-dedans. On ne pouvait pas organiser les émotions dans un diagramme. J'adorais Jethro. Je devais partir. Il avait demandé s'il pouvait venir et j'avais dit oui. C'est tout. Juste au moment où je m'apprêtais à monter les marches arrière du camping-car, Fenton réapparut. Il claqua la porte derrière lui et, l'espace de quelques secondes, nous nous fîmes face, les yeux dans les yeux. Il avait une sale tête parce qu'il manquait de café et de sommeil, mais à part ça il paraissait plutôt calme. J'étais surprise : il n'y avait aucun indice flagrant de dommage mental.

« Fenton, je comprends que tu ne t'attendais pas à trouver un gamin à l'arrière du camping-car aujourd'hui. Ni aucun autre jour d'ailleurs, j'imagine… »

Il s'écarta de moi et je poursuivis :

« Et comme j'admets ouvertement n'avoir aucune explication sensée, je ne vois pas d'inconvénient à ce que tu piques une crise. Si ça peut t'aider d'une façon ou d'une autre… »

Je le suivis jusqu'à la portière côté conducteur. Il monta à l'intérieur du véhicule sans un mot et me la claqua au nez. Je ne savais pas quoi en penser. Enfin, jusqu'à ce que le moteur se mette en marche et que les secousses du démarrage ébranlent le camping-car. Je le regardai s'éloigner avec l'impression que mon estomac s'était décroché et qu'il sombrait sans fin dans d'obscures profondeurs abyssales. Bon, j'avais parfaitement le droit d'être décontenancée ; après tout, c'était la toute première fois que l'on m'abandonnait sur le terre-plein central d'une autoroute.

Il n'y a pas grand-chose à faire dans une telle situation, d'ailleurs. On peut toujours faire du stop, bien sûr, mais vu comment finissent les auto-stoppeurs dans les films, rares sont les gens qui éprouvent l'envie délirante de lever le pouce sur le bord d'une autoroute. D'autres options s'offrent à vous, comme appeler quelqu'un ou taper à une porte, mais il faut

148

un téléphone ou bien une porte pour ça, et je n'avais ni l'un ni l'autre sous la main. En toute honnêteté, le froid devenait si rude qu'il ne me restait d'autre possibilité que d'en vouloir à Fenton. Il prétendait tout pouvoir encaisser sans problème, mais quand il s'agissait d'affronter la vérité nue, sa première réaction était celle un idiot tombé de la dernière pluie. Qu'est-ce qu'il comptait faire ? Traverser tout le pays seul avec le gosse ? Ha ! ha ! Je décidai de le laisser faire, tiens, rien que pour voir... Non que j'aie vraiment le choix, d'ailleurs.

La nuit était sur le point de tomber. Le vent glacé éparpillait mes cheveux sur mon visage. J'enroulai l'écharpe autour de mon cou et de ma tête autant de fois que possible et coinçai mes mains sous mes aisselles. Puis, me souvenant qu'il y avait trois cigarettes rescapées et un briquet dans la poche de ma robe, je ne perdis pas une minute et m'accordai le seul plaisir à ma portée.

Il ne fallut pas longtemps avant qu'une voiture ne ralentisse. Je la regardai approcher. Je trouvais agréable qu'un représentant de l'humanité s'intéresse à moi, mais d'un autre côté, les histoires de F à propos de meurtres, de viols et de kidnappings dans le cadre d'expérimentations neurologiques financées par le gouvernement se bousculèrent dans mon esprit, toutes en même temps. Il m'avait raconté des tas de trucs à propos de ceux qu'il appelait «les gens des briques de lait [1]» : ces visages en noir et blanc de personnes

---

1. Aux États-Unis, les signalements d'enlèvement sont parfois imprimés sur des briques de lait.

disparues qui vous fixent à l'heure du petit déjeuner, pendant que vous mangez vos céréales. Mais je n'ai jamais été le genre de fille à me laisser effrayer par des ruelles sombres ou des clochards avançant vers moi dans la lumière jaune des phares de bus de nuit.

« Tout va bien ? » demanda une voix en provenance de la voiture.

C'était un trentenaire, arborant ce style de moustache épaisse qui était déjà passé de mode à l'époque de la ruée vers l'or. Il était coiffé d'une casquette de base-ball portant l'inscription « Bière ». Il n'avait pas l'air d'un agent du gouvernement. Je jugeai que je ne risquais rien à lier conversation avec lui.

« Il fait froid, répondis-je.

— Vous voulez que je vous dépose quelque part ?

— Non.

— Qu'est-ce que vous faites là, toute seule, sur l'autoroute ?

— Longue histoire. Mon mari ne devrait pas tarder à revenir, cela dit.

— Bon, ben, montez dans la voiture.

— Vous allez attendre ici que mon mari revienne ?

— Ouais. »

Je haussai les épaules et m'installai côté passager. Je savais que ce n'était probablement pas la meilleure chose à faire, monter dans la voiture d'un inconnu et tout ça, mais je peux dire sans exagérer qu'au point où j'en étais j'aurais pu monter en voiture avec le diable ou avec n'importe quel autre membre du casting de la Bible. Le froid sait se montrer extrêmement persuasif.

« Ben merci », dis-je en claquant la porte.

Je m'installai confortablement devant le radiateur, tout en jetant un coup d'œil au conducteur. Sur son T-shirt était inscrit «Est-ce que ta bière peut faire ça?» sous la photo d'une blonde à forte poitrine sur le point d'enlever son débardeur. Je souris.

«Vous permettez que je vous donne un avis sincère sur votre look?

— Allez-y.

— Ben, je pense que la thématique est légèrement surexploitée.

— Comment ça?

— Le truc, c'est que le mot "bière" est écrit sur votre casquette et aussi sur votre T-shirt. Ça serait beaucoup plus classe si vous ne portiez qu'un seul vêtement avec le mot "bière" dessus.

— Vous croyez?

— Ouais. Je veux dire, je suis vraiment mal placée pour donner des conseils en matière de mode, mais d'un point de vue purement littéraire, si le mot "bière" n'apparaissait qu'une fois sur vous, ça aurait plus d'impact.»

Il avait l'air un peu perplexe.

«Bon Dieu, je crois que j'avais jamais vu les choses comme ça! C'est mon frère qui m'a offert ce T-shirt, je ne l'aurais jamais acheté moi-même.

— Ne vous inquiétez pas. Comme je vous disais, c'est juste un point de vue éditorial. Niveau fringues à proprement parler, je ne suis pas mieux habillée que vous.»

En effet: je portais une robe rouge vif à manches longues, un peu déchirée sur la hanche gauche (que j'avais rapiécée avec un morceau de tissu bleu

151

quelques mois auparavant), d'épaisses chaussettes montantes à rayures et une écharpe d'un vert pétant.

«Selon moi, ce sont les gens vraiment mal habillés qui mènent les vies les plus marquantes», déclarai-je.

Je n'y croyais pas vraiment, bien sûr. Mais c'était une chouette phrase à dire. Puis, me souvenant que j'avais une cigarette à la main, je lui demandai s'il voyait un inconvénient à ce que je fume dans sa voiture.

«Allez-y, dit-il en ouvrant un petit tiroir qui s'avéra être un cendrier. Ça ne me pose pas de problème tant que vous avez conscience de ce que vous faites.

— Oh, je n'ai jamais fait très attention à ma santé.

— On n'a qu'un corps. Autant en prendre soin», répondit-il.

J'étais surprise. Il avait formulé un fait déplaisant avec simplicité et clarté. Pour la première fois de mon existence peut-être, je me rendis compte qu'on pouvait faire remarquer ses défauts à quelqu'un aussi tranquillement qu'on lui aurait indiqué la présence d'un cheveu dans sa soupe. J'étais ravie. Ma mère s'y prenait un peu comme quelqu'un qui lutte contre la constipation. Rien que la façon qu'elle avait de commencer ses phrases par mon prénom me hérissait.

«Je m'appelle Hester, au fait, dis-je en coinçant la cigarette entre mes lèvres et en lui tendant la main.

— Dan. C'est le diminutif de Daniel, répondit-il en la serrant, avant d'ajouter : Où est ton mari ? Tu sais qu'il y a des gens par ici qui pourraient profiter d'une fille toute seule sur l'autoroute, comme ça ?

— Il paraît.

— Eh bien c'est vrai. Aucun homme sain d'esprit

ne laisserait sa femme seule la nuit sur le bord de la route.

— Mon mari est loin d'être "sain d'esprit", Dan, il en est même à des années-lumière.

— Pourquoi tu l'as épousé alors ? demanda-t-il.

— Parce que je suis encore pire que lui. »

Je n'étais pas d'humeur à évoquer l'affaire Jethro, ni à entrer dans les détails de notre mariage, ni d'ailleurs à raconter quoi que ce soit de personnel. J'en avais vraiment marre de ma propre vie, alors je décidai de poser moi-même les questions.

« Et toi ? Tu es marié ? »

Dan répondit d'un air grave et vertueux, comme s'il avait la main posée sur une bible.

« Oui m'dame. Ça va faire cinq ans. La meilleure chose qui me soit arrivée, c'est d'épouser cette femme. »

C'était une belle déclaration et je n'avais rien à répondre. Je frissonnai.

Il poursuivit :

« Je n'attendais rien de spécial. Enfin, tu m'as vu ? Je pensais me contenter de ce que je trouverais, tu comprends ? Je croyais devoir m'estimer heureux si je parvenais à faire au moins en sorte qu'un raton laveur s'intéresse à moi. »

Je souris.

« Tu sais, dis-je, dans certains cas je me demande si un raton laveur ne serait pas une meilleure option.

— Peut-être, mais à ma connaissance, il n'y a pas un seul raton laveur capable de rivaliser avec la fille que j'ai fini par trouver. Je l'ai rencontrée à la foire à la volaille, tu sais, dans le Kentucky. Je ne pouvais tout simplement pas détourner mon regard. Je fixais sa robe jaune ; il y avait du vent et elle voletait autour de ses genoux. Je ne la fixais pas comme un pervers, hein, bien sûr.

— Bien sûr.

— Je savais que j'étais en train de regarder la fille que j'aimais déjà. Je savais aussi que ce n'était pas poli de la fixer comme ça, mais c'est comme avec l'or, tu ne peux pas t'en empêcher.

— Je n'ai jamais vu de vraie pépite d'or, dis-je.

— Ben, la fille que j'ai épousée, c'en est une, de pépite. Sauf que tu peux trouver de l'or à peu près n'importe où dans le monde. Alors qu'elle, elle ne se trouve nulle part ailleurs qu'avec moi. Elle est venue me voir à la foire ce jour-là, et elle s'est mise à me parler comme si c'était la chose la plus naturelle du monde. On a parlé de jus de fruits pendant terriblement longtemps. »

L'émotion de la rencontre était palpable dans sa voix, devenue lente et douce à mesure qu'elle s'emmê-lait dans ses souvenirs, mais ses yeux restaient grands ouverts et pas une fois il ne sourit.

« Et voilà, conclut-il, à peine le temps de reprendre mes esprits et on était mariés. Je ne saurais pas te dire exactement comment c'est arrivé et je n'ai même pas envie d'y réfléchir. C'est arrivé et c'est tout ce qui compte. J'essaie de ne pas me demander ce qu'elle peut trouver à un gars comme moi. Je suis supersti-tieux. Je pense que ça l'obligerait à y regarder de plus près et à se rendre compte qu'elle a peut-être fait une erreur. »

Ces drôles de mots, agencés si maladroitement ensemble, firent voler en éclats tout ce que j'espérais, ou tout ce qu'il me semblait possible d'espérer dans la vie. Cela me troubla, parce que je ne me rappelais pas avoir déjà été sensible à des histoires d'amour cucul la praline. Dan m'avait prise de court. Je me sentais purgée de tous mes soucis présents ; tout ce qui paraissait avoir toujours occupé mon esprit s'était évaporé. J'avais la sensation d'être vaincue.

« C'est elle, là », dit-il en indiquant un Polaroid scotché au rétroviseur.

Il alluma à mon intention la veilleuse à l'avant tandis que je m'approchais pour examiner la photo d'une femme souriant timidement, avec un chapeau en carton pointu sur la tête. La façon dont les commissures incertaines de ses lèvres remontaient lui donnait l'air d'une bibliothécaire de province qui aurait fait fortune en entrant par hasard en collision avec l'homme de ses rêves. Son visage était rouge, peut-être à force de rire ou bien à cause d'une mauvaise régulation thermique. Elle portait une jupe écossaise et un pull à col roulé peu flatteur, moulant un buste qu'on aurait tout à fait pu comparer à des bouées de sauvetage. Elle sortait d'un salon de coiffure ; ses cheveux avaient l'air presque figés avec de la colle sous ce misérable chapeau de cotillon, c'était affreux et mignon à la fois.

Donc cette dame légèrement bombée sous son pull était l'aveuglante beauté qui le faisait douter de sa chance. J'en demeurai sans voix. Je veux dire, les gens ne s'aiment jamais vraiment. Du moins, pas sans se faire du mal. Peut-être y avait-il des couples passionnément amoureux quelque part, comme Roméo et Juliette, prêts à se jeter du haut d'une falaise et à s'enfoncer des cure-dents dans les yeux pour se prouver leur amour. Peut-être y avait-il des gens quelque part qui s'aimaient avec plus de force qu'une centrale nucléaire. J'en ai connu des comme ça, et chaque fois qu'ils ouvraient la bouche je me demandais comment ils avaient pu survivre si longtemps. N'auraient-ils pas dû purement et simplement exploser de surcharge émotionnelle depuis des lustres ? Jamais je n'ai rencontré des gens aussi stressés ! Je savais qu'il y avait des couples qui prétendaient être amoureux. Mais, pour la première fois, je me surpris à envisager qu'il existait de vraies personnes quelque part qui avaient le coup de foudre dans des foires à la volaille, et qui en plus de ça parvenaient à vivre concrètement ce mythe qu'est le «Grand Amour». Alors elles se mariaient et c'est ainsi qu'elles vivaient – sans effort, simplement, et heureuses. Comme si elles étaient naïves. Comme si elles avaient grandi si loin de la civilisation qu'elles ignoraient qu'il était inhumain de ne pas être complexe. Mon esprit décolla à tire-d'aile comme un chœur de gospel.

Pile à cet instant, ma portière s'ouvrit brusquement et une rafale glacée fit voler mon écharpe dans la figure de Dan. En tournant la tête, j'aperçus Fenton debout à côté de moi, le visage presque entièrement caché par un genre de chapeau tricoté qu'il semblait avoir volé à un nain allemand. Seuls quelques rares cheveux clairs en dépassaient et dansaient dans le vent.

«Qu'est-ce que tu fais ?» demanda-t-il d'une voix calme légèrement assourdie par l'écharpe.

La réalité rapatria lentement un sourire sur mon visage.

«Je discute avec Dan.

— Coucou, fit Dan.

— Salut, répondit Fenton.

— C'est mon mari», expliquai-je à Dan.

Il hocha la tête.

«Bon, on ferait mieux d'y aller, on fait entrer tout l'air froid dans la voiture, là», dis-je quand il fut évident que la conversation n'allait pas évoluer en débat passionné sur la paix dans le monde.

Dan me regarda comme un saint sur une gravure religieuse.

«Prends soin de toi, Hester.

— Toi aussi, Dan.»

Voilà donc comment Fenton découvrit la présence de Jethro à l'arrière de son camping-car. Et ce fut ainsi que le vent acide de février balaya mes vêtements sur le bord de l'autoroute. Et que les divagations innocentes d'un gars à bord de son pick-up firent le vide à l'intérieur de moi et mouillèrent mes yeux. En marchant vers le camping-car, je jetai un coup d'œil par-dessus mon épaule pour voir s'éloigner le pick-up sur la route. Les émotions que Dan avait enflammées me transpercèrent le ventre encore une fois. Puis elles s'évanouirent et, pour l'heure, le sentimentalisme redevint un art perdu.

Je grimpai dans le camping-car ; Fenton était déjà à sa place, prêt à démarrer, et, à ma surprise, Jethro se trouvait à côté de lui. Il avait l'air d'aller très bien, assis là avec sa cargaison de BD sur les genoux, me souriant comme si son visage était imprimé sur une boîte de céréales. Je me glissai à côté de lui sur le siège et lui tapotai la tête.

On aurait dit que ni Fenton ni moi n'éprouvions le moindre désir de nous lancer dans une dispute concernant le gamin assis entre nous. En fait, nous conclûmes cette mésaventure en quelques mots.

« La prochaine fois que tu envisages de faire ta hippie et d'ajouter un gosse de plus à ta tribu arc-en-ciel, préviens-moi avant de le cacher dans mon camping-car, dit-il.

— Bien sûr. Et la prochaine fois que tu décides de m'abandonner dans un endroit où la température descend en dessous de zéro, assure-toi que je porte autre chose que de la flanelle.

— D'accord. »

Je n'avais jamais autant aimé Fenton qu'à cet instant, tandis qu'il conduisait Arlene sur l'autoroute et que le sol inégal, planté d'herbe, nous bringuebalait comme les passagers d'un bateau. Je ne dis pas que j'étais folle amoureuse de lui, mais en temps normal je l'étais beaucoup moins que ça. J'avais toujours très fortement suspecté Fenton de mener ce genre de vie en grande partie parce qu'il adorait les vieilles pièces de théâtre.

Après quoi, on accompagna Jethro dans une petite boutique de fripes à Clarksdale. Maintenant qu'il était officiellement un passager du camping-car, je songeai que le temps était venu qu'il change de vêtements. Car, pour Jethro, l'expression « faire ses bagages » avait consisté à embarquer son entière collection de bandes dessinées et trois slips. Aussi bien sa petite valise que son sac en plastique ne contenaient rien d'autre.

La boutique s'appelait *L'habit fait le moine* et était sur le point de fermer lorsqu'on s'y engouffra. C'était le genre d'endroit où peu importe la bonne volonté que tu y mets, tu ne peux rien trouver qui soit vraiment mettable dans un lieu public à moins d'avoir perdu un pari, mais Jethro, lui, avait l'air de s'en foutre. En fait, il se mit à fouiller avec enthousiasme la petite pile de vêtements que nous avions constituée pour lui et il en sélectionna quelques-uns. Cet enfant avait des goûts bizarres. Même Fenton ne put s'empêcher d'être étonné.

« Tu es sûr que tu veux prendre celui-là, avec les rennes ? demanda-t-il.

— Ouais !

— Oh, à propos, tous les vêtements de Noël sont à moitié prix », suggéra la vieille dame derrière la caisse, alors que nous nous serions volontiers passés de ses encouragements.

Nous parcourûmes cette nuit-là une plus grande distance que d'habitude. Ça faisait du bien d'avoir mis cartes sur table.

Elle est pas canon, ma nana[1] ?

Le jour suivant, le soleil déversait sa lumière à travers les vitres graisseuses du camping-car, en s'attardant sur ma joue et sur le linge éparpillé au sol. Mon corps était froid sous les loques que Fenton appelait « couvertures » et, bien qu'il fût étendu à côté de moi sur l'étroit lit de camp à l'arrière du camping-car, nous ne pouvions pas nous rapprocher l'un de l'autre pour nous réchauffer sous prétexte que ça le rendait claustrophobe. Habituellement, nous passions la nuit chacun de notre côté du lit et, entre les moments où nous nous disputions les couvertures et ceux où nous essayions de ne pas tomber, il nous était impossible de dormir profondément. Néanmoins, ce matin-là, je me réveillai comme si un médecin m'avait administré un remède miracle contre la fatigue.

Jethro était étendu dans un sac de couchage avec Walter, sa girafe, sur la tête. Je tendis le bras et attrapai la peluche par l'étiquette cousue entre ses fesses pour dégager son visage. Puis je me retournai sur le

---

1. Le titre de ce chapitre, « Don't my gal look fine », est inspiré d'une chanson de Bob Dylan intitulée *It Takes a Lot to Laugh, It Takes a Train to Cry*.

dos et fixai le plafond où Fenton avait griffonné une inscription avec de la peinture noire : « Une fois par an, mon père éprouve le besoin de mettre le feu à la maison. À la maison ou au jardin, ça dépend. »

J'essayais de savoir s'il fallait y voir quelque chose de profondément troublant ou si Fenton n'était qu'un idiot prétentieux. Dans tous les cas, il était tellement secret sur tout ce qui se passait dans sa tête d'habitude que j'adorais tomber sur ces étranges bribes de phrases gribouillées, d'autant plus qu'il m'interdisait strictement de lire les trucs qu'il laissait traîner.

L'horloge qu'il avait accrochée au-dessus du placard du coin cuisine indiquait sept heures et quart. On était dimanche. Je sortis du lit, enfilai mon manteau et me dirigeai vers la porte. Inutile de s'habiller, étant donné que, par cette température, il n'était pas utile de se déshabiller. Je tournai la poignée et poussai la porte de tout mon poids.

Le monde extérieur semblait refléter la paix qui régnait à l'intérieur du camping-car endormi. Nous nous trouvions dans le Kentucky. La veille, nous nous étions perdus après avoir cessé de suivre l'autoroute et avions dérivé vers de petites routes qui s'étaient à leur tour transformées en d'encore plus petites routes. Fenton était inconsolable : s'être enfoncé au milieu de nulle part, sans moyen de se repérer parce qu'il faisait nuit, le frustrait terriblement. Après avoir ficelé un chapelet d'improbables jurons en une bonne grosse saucisse qui avait empourpré le visage de Jethro d'un sourire candide, il avait quitté la route et brusquement stoppé Arlene sur place. Nous étions allés nous coucher et le camping-car était resté garé pile à cet endroit.

Maintenant qu'il faisait jour, je constatai à quel point sa position était bizarre. Nous étions plantés face à un arbre isolé et la portière arrière s'ouvrait sur le bord d'une route en béton gris. Je sautai au sol et la première impression que me fit le Kentucky fut celle d'une belle aire de jeux hantée. L'herbe était vert pâle et jaune avec des résidus de neige encore visibles. Les arbres étaient épars et nus. Au loin, je pouvais apercevoir deux fermes blanchies à la chaux. À part ça, il n'y avait rien. Toutes ces voix traînantes que l'on entend gémir dans le bluegrass [1] prenaient soudain sens.

Eh bien... Je calai une cigarette entre mes lèvres et il me fallut un temps anormalement long pour l'allumer. Après avoir inspiré profondément la fumée, je pus jouir de la douce intoxication de mon système respiratoire, dans la paix et la sérénité, les paupières fermées. Je suis certaine qu'en temps normal, j'aurais pu prendre un plaisir monstrueux à fumer cette cigarette jusqu'au bout, ici, dans les collines du Kentucky, mais la remarque de Dan me revint soudain à l'esprit. Sur le fait de n'avoir qu'un seul corps. C'était fini : plus moyen d'en profiter. Il avait raison. Toute ma vie, j'avais souffert d'une toux chronique. Pourquoi donc continuer à injecter de la fumée dans mes poumons ? Ça fait bizarre de se préoccuper tout à coup de sa santé quand on ne s'en est jamais soucié une seule seconde auparavant. Pour être franche, c'était assez perturbant, putain, de devenir soudain si vertueuse.

---

1. Le bluegrass est une sous-catégorie de la musique country, apparue au milieu du XXᵉ siècle dans la région du Bluegrass, au nord-est du Kentucky.

Mais quand ta conscience débarque à l'improviste, les mauvaises habitudes n'ont aucune chance de s'en sortir. Je pris la décision d'arrêter de fumer. Après celle-là, évidemment.

Alors que ma dernière cigarette se consumait entre mes mitaines, je me mis à marcher, en toussant et en fumant, le long de la route. C'était un dimanche matin sinistre. Il y avait de la religion dans l'air et le vent de la nuit balayait encore les routes désolées ; l'herbe vibrait sur son passage et il courbait les branches têtues des arbres. Je dépassai une grange rouge qui se dressait de l'autre côté de la route, brûlante contre un ciel laiteux. Le soleil s'était fait avaler depuis long-temps. Il avait abandonné tout le paysage dans un éclat froid propre à susciter d'étranges sentiments qui venaient encore dramatiser cette aube christique. Je pouvais presque entendre un pécheur pleurer, à genoux sur le plancher d'une église de campagne, en pleine crise extatique parce que le toit était en train de s'arracher et qu'une sorte de rayon de lumière divine l'inondait. Rien qu'en longeant la route, je compris qu'il se passait bien plus de choses dans ce décor mort et silencieux que dans n'importe quelle boîte de nuit ou sur n'importe quelle chaîne de télévision.

Mes pensées empruntèrent de curieux corridors. Je ne m'étais jamais sentie chez moi jusqu'à ce que plusieurs frontières d'États me séparent de la maison. Cette journée allait s'écouler, le temps la réduirait en miettes, et tout au long de cette épreuve jamais je n'aurais à supporter les parfums nauséabonds de mon domicile : pas de mère pour commenter la façon dont j'avais assorti la couleur de mes vêtements, pas de père

163

se soûlant aux boissons protéinées pour se muscler, pas de sœur pour traîner sa douloureuse existence sur mon chemin. Dieu sait à quel point j'aimerais vous dire comment je me sentais, perdue dans ce labyrinthe de pensées, en marchant dans le Kentucky, mais personne n'a jamais pris la peine d'inventer les mots qu'il fallait.

Après avoir lu ça, un million de docteurs diagnostiqueraient une enfance traumatique. Sauf que je ne vois pas ce qui, dans mon passé, aurait pu me traumatiser et je suis la mieux placée pour en juger. Le passé, c'est le passé : son seul but est d'être laissé derrière soi. Et c'est exactement là qu'il se trouvait, lors de cette promenade. Je n'y touchais que du bout du pied, comme un cadavre de raton laveur que j'aurais retourné avec ma chaussure pour voir de quoi il était mort.

Je marchai jusqu'à ce que mon corps se réchauffe et que le vent et ma circulation sanguine me brûlent le visage. Ma dernière cigarette touchait à sa fin. Je lui dis adieu devant une petite station-service qui s'était matérialisée dans un virage. Le lieu ne pouvait clairement pas se targuer de rivaliser avec le chiffre d'affaires d'un Burger King, néanmoins il dégageait une sorte d'assurance, comme s'il savait qu'il se dresserait toujours là, à vendre de l'essence, bien longtemps après que tous les Burger King auraient fini d'empoisonner les humains. On y percevait cette inquiétante endurance dont seules les entreprises en faillite semblent faire preuve. C'était fermé, et j'étais sur le point de faire demi-tour quand je remarquai quelqu'un assis par terre.

164

«Salut !» dis-je en m'approchant.

L'étranger leva les yeux vers moi et une hésitation fugace traversa son regard. Peut-être avait-il cru que la race humaine s'était éteinte.

«Coucou, répondit-il bizarrement. Comment ça va ?

— Assez bien. Et vous ?

— Je suis tombé en panne d'essence. J'attends que ça ouvre.

— Ah, ça craint…»

Nous nous examinâmes l'un l'autre aussi tranquillement que si nous parcourions un rayon à la recherche de la bonne marque de soupe. Nous étions tous deux beaucoup trop emmitouflés dans nos manteaux, écharpes et couvre-chefs pour pouvoir discerner un quelconque signe particulier, mais je remarquai que l'homme portait un petit chapeau à la Buster Keaton, autour duquel était enroulée une épaisse écharpe en laine à motifs Winnie l'Ourson. Il n'était pas rasé et il avait les joues cramoisies, comme un petit garçon qui se serait accidentellement changé en adulte. C'était la première fois que je croisais quelqu'un avec des joues semblables aux miennes et aussitôt je nourris l'idée d'avoir rencontré un jumeau caché.

«J'aime bien votre écharpe, dis-je.

— Oh, j'aime bien la vôtre aussi.

— Ben merci.»

Je n'avais jamais flirté avec personne avant ce matin-là. (Il m'arrivait d'appeler les gens «chéri», mais c'était par pure politesse.) Même pas avec Fenton. Surtout pas avec Fenton ! Je n'avais flirté avec mon mari que de la façon dont un gamin qui s'ennuie

165

flirte avec le sexe, la drogue et le rock'n'roll. Je n'avais jamais éprouvé le besoin de me faire douce et vulnérable, vous comprenez ? Mais, ce matin, mon sourire s'étira un tout petit peu plus lentement que d'habitude et je suis prête à parier qu'on aurait pu goûter du miel sur mes lèvres !

« Vous êtes en vacances avec votre famille ou… ? demanda-t-il en apercevant un bout du camping-car au loin.

— Jamais de la vie. »

Il attendait d'en savoir un peu plus, mais je n'allais pas lâcher le morceau si facilement.

« Oui, ce n'est pas la meilleure saison pour voyager, reprit-il.

— On ne voyage pas. C'est notre maison. On habite dans ce truc.

— "On" ?

— Moi, Jethro et Fenton », répondis-je avec malice.

Je me comportais comme si j'avais d'incroyables secrets à préserver. Et peut-être était-ce le cas. Quoi qu'il en soit, je ne voulais pas lâcher que j'étais mariée. À la façon dont il fit « Ah » en opinant doucement du chef, je compris que ça m'avait échappé, d'une manière ou d'une autre.

« Vous êtes d'ici ? » demandai-je.

Il soupira, avec un sourire en coin, et secoua la tête.

« Non, malheureusement je viens de Floride. »

Je hochai la tête doucement mais ne lui dis pas que je venais de Floride moi aussi. La coïncidence devenait dangereusement inquiétante et la meilleure chose à faire était probablement de l'ignorer.

« J'apporte une prothèse de jambe à mon grand-père dans le Kansas, poursuivit-il soudain. Je sais que c'est ridicule. Il ne veut pas que je l'envoie par colis. Dans d'autres circonstances, plus normales, je vous aurais menti. Je vous aurais raconté que j'allais à l'enterrement de ma tante dans le Michigan ou un truc dans le genre.

— Et qu'est-ce qui rend les circonstances anormales ?

— Je ne sais pas, ça doit être vos yeux. Vous passez toujours les gens aux rayons X comme ça ? J'ai l'impression d'être nu.

— Bon, j'imagine que c'est gentil de votre part de dire ça.

— Oh oui, c'est clairement un compliment. »

Un autre silence suivit. Je restais là, les mains dans les poches, ne sachant trop comment traverser sans turbulences ces zones de vide, maintenant que j'étais non fumeuse. Il était apparemment plus facile pour moi de faire passer le temps, quand il était trop têtu pour avancer, avec une cigarette. Qu'est-ce qu'on est censé faire de ses mains, putain, quand on ne fume pas ?

« Cette écharpe n'est pas à moi, au fait, dit l'inconnu. J'avais juste besoin de quelque chose pour couvrir mes oreilles et c'est le seul truc que j'aie trouvé dans le coffre de ma voiture.

— Oh. »

C'est à ce moment-là que le camping-car s'arrêta à côté de nous. La tête de Jethro surgit par la fenêtre. Derrière lui, les yeux de Fenton brillaient de façon critique.

« Salut ! s'exclama Jethro en faisant un signe de la

main. Fenton dit qu'on doit y aller et il a dit un mot qui commence par *p*.

— Il doit y avoir à peu près trois millions de mots qui commencent par *p*, Jethro», rétorquai-je.

Il avait l'air intimidé.

«Le mot qui commence par *p*, *u*, tu sais…

— Tu vas devoir employer de vrais mots avec moi, chéri, on n'est pas dans le salon de ta mère, ici. Personne ne va sursauter.

— Le mot "putain".

— Ah!»

Fenton se pencha au-dessus de Jethro

«C'est fini, la leçon de vocabulaire? On peut se dépêcher, là, s'il te plaît?»

Je me tournai vers l'étranger, qui s'était déjà levé et me tendait la main. On se dit au revoir en s'accordant sur le fait que c'était agréable de s'être rencontrés. J'enjambai une flaque froide et grimpai à bord du camping-car, avec l'impression que mes boyaux étaient désormais équipés d'un chauffage central. Aussi bien Fenton que Jethro me regardèrent fixement tandis que je m'installais sur mon siège. Je leur rendis leur regard, aussi neutre et impassible que possible, mais ce n'était pas évident avec mon teint. J'étais rouge écarlate.

«B'jour, leur dis-je.

— B'jour», répondit Jethro.

Fenton ne dit rien. Il se contenta de passer la première et de reprendre la route. Ainsi s'acheva ma première histoire d'amour, et il ne me restait rien d'autre pour me consoler que des squelettes d'arbres flottant au loin.

168

« Qui c'était, ce type ? »

Je me retournai vers Fenton, surprise de son intérêt.

« Juste quelqu'un qui apportait une prothèse de jambe à son grand-père.

— C'est quoi une prothèse de jambe ? demanda Jethro.

— Une fausse jambe, chéri.

— Bon, Hester, il faut que je te dise…, reprit soudain Fenton. C'est embarrassant, cette façon que tu as de te jeter à la tête du premier venu. »

Je le regardai avec une certaine curiosité.

« Ok, papa.

— Je suis sérieux, insista-t-il. C'est vraiment vulgaire. »

Je ris.

« Je ne plaisante pas.

— Je sais. C'est pour ça que je ris.

— Tu ne fais que rejouer un cliché de mauvais goût : toute cette connerie de coup de foudre pour un mystérieux étranger. C'est vulgaire et stupide.

— En parlant de clichés de mauvais goût, je connais quelqu'un qui est parti faire de la randonnée en Suisse et qui ne s'est pas contenté de demander la direction du prochain chalet à la laitière. »

Il soupira.

« J'aimerais bien que tu arrêtes de remettre ça sur le tapis toutes les deux minutes. Pas besoin d'être sur la défensive. Je dis juste que ce n'est pas attrayant quand une femme va se frotter contre tous les vagabonds qu'elle croise sur la route, merde !

— T'as raison, peut-être que je devrais faire un test de grossesse.

— Elle ne se frottait pas à lui », fit remarquer Jethro spontanément.

Il n'avait jamais l'air de prêter attention à ce qu'on disait, mais il écoutait bel et bien.

« De toute évidence, je ne parlais pas de façon littérale, Jethro, le rabroua Fenton. Le truc, c'est que je pouvais lire ce qui se passait dans sa tête à dix kilomètres, et ce n'est pas exactement le genre de choses qu'on publie dans un livre pour enfants. »

Jethro avait l'air perdu.

« À quoi elle pensait ?

— À rien. Tu veux pas aller lire une BD ou dessiner un autre extraterrestre ou je sais pas quoi ?

— Ce ne sont pas des extraterrestres. Ce sont des humains. C'est juste qu'ils portent des casques de l'espace.

— Ben, j'ai jamais vu des casques de l'espace en forme d'amibes, grommela Fenton dans sa barbe.

— Ce sont des astronautes du futur.

— Oh, oui, bien sûr, gloussa-t-il froidement. Tu sais que tu ne peux pas prendre ça pour excuse chaque fois que tu t'aperçois que tes casques, là, ou tes masques à oxygène, sont mal foutus… Ça ne marche pas comme ça, la vie, Jethro. Si j'écris quelque chose qui ressemble à ton casque de l'espace, là, et que personne ne comprend, est-ce que tu crois que je pourrai dire à un éditeur "Hé, mec, c'est de la littérature du futur" ? Je ne crois pas…

— Tu ne comprends pas, se plaignit Jethro. Le

casque est courbé comme ça parce qu'il permet au pilote d'avoir une double vision. »

Fenton détacha son regard de la route et cligna des yeux vers le dessin scotché au rétroviseur qui pendait joliment en plein milieu du pare-brise d'Arlene.

« Et ça, là ? demanda-t-il. C'est son cul qui est déformé ou cette excroissance a aussi une vocation technique ? »

Jethro examina le fondement de l'astronaute pendant un moment. Il semblait retourner dans sa tête tous les morceaux de l'anatomie de ce monsieur, ce qui lui prit quelques secondes. Puis il répondit :

« C'est George l'astronaute. Tu vois, en fait il n'y a rien qui cloche avec son cul. (Il prononça le mot prudemment.) Mais tout le dessin montre comment l'autre gars le voit. L'autre gars, c'est Jimmy l'astronaute. Donc c'est juste comme ça que Jimmy voit tout, parce qu'il y a ce gaz empoisonné dans l'air qui déforme les dimensions réelles. »

Fenton sourit.

« Eh bien, je vois que tout s'explique comme ça t'arrange...

— Ouais. En fait, ils sont un peu comme des cowboys, sauf qu'ils sont dans l'espace », ajouta Jethro, imperméable au sarcasme.

Cette conversation se poursuivit très agréablement pendant environ une heure et je m'étendis, heureuse de ne pas y être mêlée. C'était un dialogue de toute beauté, dois-je préciser. Fenton et Jethro n'avaient rien à envier à qui que ce soit dans l'art de couper les cheveux en quatre. Leur discussion coulait, comme de l'eau sur des cailloux, des armes laser aux machines à remonter le temps, en passant par des choses dont j'ignorais même la signification. Fenton démontrait, par des spécifications techniques, que rien de tout ça n'était réalisable et Jethro résolvait lesdits problèmes sans sourciller. N'importe quel adulte aurait lâché l'affaire depuis longtemps ; il n'y avait que quelqu'un d'aussi profondément anal que Fenton pour pousser ce genre de sujets aussi loin qu'un enfant.

La vie était belle ! Et il était midi bien sonné.

En somme, on aurait dit que nous étions tous trois normaux. Peut-être qu'il ne s'agissait pas d'un foutu hasard, après tout. Peut-être que c'est le destin qui nous avait réunis là et que ça n'avait rien à voir avec ma décision de partir de chez moi. Je n'y croyais pas vraiment, mais je ne vais pas me mentir : il était difficile d'écarter cette éventualité par un putain d'après-midi en or comme celui-là. Ouais, on aurait vraiment dit que nous avions franchi une sorte de cap. Évidemment, chaque fois que l'on pense avoir franchi quelque chose d'aussi vague qu'un « cap », on sait qu'en réalité les choses ne sont pas si simples.

Prêcher la bonne parole

Vous connaissez ce mythe de l'enfant sur la route qui a toujours besoin de s'arrêter pour faire pipi ? Eh bien, c'est vrai. Quelques heures plus tard, ce dimanche-là, j'étais convaincue que la seule mission de Jethro sur terre était d'uriner. Nous jouions de malchance : la vessie de Jethro était hyperactive et le camping-car n'était pas équipé de toilettes. Pour couronner le tout, ma récente décision de ne plus fumer pesait lourd sur mon âme et le seul programme radio qu'Arlene parvenait à capter s'intitulait *L'Heure des brebis égarées du révérend Tull*. Ai-je besoin d'en dire davantage ? J'aurais pu en venir à me demander, dégoûtée, où était passée ma belle matinée, mais non. Quelque chose de maternel en moi m'empêchait de lever les yeux au ciel quand Jethro annonçait que, déjà, une autre pause pipi était prévue au planning. Et j'imagine que c'est le même rouage de cette mécanique qui me permettait de répondre sereinement « Ok, chéri ».

Aussi Fenton et moi partagions-nous, sans grande inspiration, un de ces grands moments sur le bord de la route à regarder Jethro rejoindre les buissons.

« Vois le bon côté des choses, dis-je.

— Il y a un bon côté à ça?

— Je suis sûre que oui. Il suffit de bien chercher. »

Nos yeux fixaient le lointain et ça faisait un moment que nos expressions faciales s'étaient engourdies. En fond sonore, le révérend Tull donnait des conseils à une dame convaincue que le vendeur d'une quincaillerie était possédé par le démon.

« Mon Dieu ! » murmurai-je.

Jethro était toujours en train de se demander quel buisson ferait l'affaire. Il avait l'habitude de choisir le plus éloigné possible. Contrairement à la croyance populaire, cet enfant avait des exigences très élevées aussi bien en matière d'hygiène que de pudeur.

Je m'appuyai contre la portière côté passager et attrapai l'un des livres que j'avais empruntés à la bibliothèque : *Les Personnages de Charles Dickens*. Le révérend Tull demanda des précisions à son auditrice et je me mis à lire les notes que j'avais griffonnées en bas de page : « Il te prendra dans ses bras et t'embrassera et te racontera plus de bobards qu'il n'y a de feuilles vertes dans les arbres ou d'étoiles dans le ciel [1]. » J'avais pêché la plupart des conseils qui m'étaient utiles dans de vieilles chansons de blues ou de folk. Il ne me semblait pas nécessaire de chercher ailleurs une philosophie de vie, surtout quand des gens avaient chanté des trucs comme : « T'es peut-être un peu tarée, mais t'es parfaite pour moi,

---

1. « He will hug you and kiss you and tell you more lies than leaves on the green tree or stars in the skies » est extrait d'une ballade folk traditionnelle dont l'auteur est anonyme, intitulée *On Top of Old Smoky*.

bébé[1]. » Est-ce que ça ne résumait pas à peu près toutes les relations entre les hommes et les femmes ?

Je ramenai mes pieds sur le siège pour réfléchir à cette nouvelle théorie. J'adorais ça : m'accrocher à une idée que je pouvais ensuite décortiquer jusqu'à la fin des temps. Mon cerveau aimait passer en roue libre ; j'envisageais des thèses idéales et leurs antithèses, et une fois que j'étais lancée, il était difficile de m'arrêter. Mais, évidemment, mon insouciante concentration ne me protégeait pas de tout. Je sentis quelque chose sur mon pied et découvris les doigts tachés d'encre de Fenton qui traînaient, désœuvrés, le long de mes chevilles. Mon corps se tendit. C'était clairement une violation de la règle de non-déplacement aléatoire des parties de notre corps.

Je levai les yeux tout doucement vers lui. Fenton me sourit. Je ne pouvais pas lui rendre la pareille, malheureusement. Je ne pouvais même pas cligner des yeux. Mes paupières étaient figées. Je le fixai moi aussi, comme prise dans la lumière de ses phares par une nuit noire. Nous demeurâmes ainsi quelques secondes encore, nos regards entremêlés. C'était bizarre, dans le sens où nous ne prenions généralement pas la peine de nous regarder. Et certainement pas dans les yeux. En tout cas pas sans un commentaire sarcastique ou un ricanement.

Je compris alors que quelque chose n'allait pas, et que je n'avais que très peu de temps pour prendre une

---

1. « You may be a little rockin', but baby you all right with me » est extrait d'une chanson de Blind Willie McTell intitulée *Love Makin' Mama*.

décision raisonnable. On ne réfléchit pas tellement aux secondes à venir, quand un miracle se produit sous nos yeux. Et je ne parle pas d'une de ces visions de la Vierge Marie sur une pizza, ou un pseudo-miracle du genre, mais d'un vrai miracle, un peu comme si tu entrais dans ta cuisine un beau matin et que ton réfrigérateur se mettait à parler, ou comme si une fourchette commençait à fondre dans ta main sans raison particulière. C'était le genre de chose qui défiait les lois de la physique.

Je l'admets, j'étais troublée. Encore plus que le jour où j'avais dû expliquer à notre psychologue familial pourquoi je me masturbais. J'avais quatorze ans à l'époque et j'étais prête à sombrer dans un désespoir total. Que faire dans une telle situation ? En réalité, il aurait suffi que je lui réponde : « Parce que ça fait du bien, connard. Pourquoi tu le fais, toi ? »

Mais, cet après-midi-là dans le camping-car, je ne trouvai rien à dire du tout. Je baissai à nouveau les yeux sur mes notes manuscrites qui couraient en marge des pages blanches et abîmées du livre de bibliothèque. « Du blues sur mes étagères… Et du blues dans mon lit parce que je dors toute seule[1]. » Mes joues étaient en feu, gonflées par tout le sang qui s'y précipitait. Bien sûr, Fenton avait déjà esquissé des sourires auparavant, ne serait-ce que pour faire savoir au monde à quel point il le trouvait pathétique, mais ce sourire-ci était discret, presque fatigué. Il était

_____

1. « Blues on my shelf… and there's blues on my bed, cause I'm sleeping by myself » est extrait d'une chanson de Casey Bill Weldon intitulée *Blues Everywhere I Go*.

limpide, inoffensif et paraissait ne reposer sur rien. Il était sans fond, déconcertant. Quel que soit l'angle sous lequel on l'observait, il était crépusculaire.

Je m'efforçai de l'ignorer. Je m'efforçai d'ignorer le rouge qui rongeait mon visage, le silence attendant d'être brisé par des questions, des insultes ou des railleries. Je m'efforçai même d'ignorer ses doigts et ses paumes qui remontaient le long de mes jambes. Mais combien de temps pouvais-je tenir ?

« Tu vas bien ? demandai-je en levant prudemment les yeux du livre.

— Ouais. »

Ses doigts attrapèrent mes talons et, dans un étrange mouvement emprunté à une chorégraphie bollywoodienne, mes jambes se retrouvèrent soudain de chaque côté de ses hanches et ses mains étreignaient maintenant les creux derrière mes genoux. Le livre m'échappa au cours du processus et dégringola, pour s'écraser violemment contre la vitre. Je me retrouvai les mains vides, étendue sur le siège, avec une sensation bizarre. J'aurais probablement dû éclater de rire. C'était la meilleure réaction à avoir, étant donné l'habileté de ce mouvement, mais souvenez-vous : la peur me paralysait, à ce stade. Je ne voyais qu'une explication possible à ce qui se passait : Fenton était en train de mourir d'un cancer ou de je ne sais quoi, et il se tapait une bonne crise émotionnelle à l'ancienne. Et je ne cherche pas à faire de l'esprit ; c'est vraiment ce que j'ai pensé.

Je pris appui sur mes coudes et fixai de toutes mes forces ses traits tranquilles. On s'était mariés sur la base de certaines règles tacites qui constituaient les solides fondations de notre existence. On ne s'aimait pas ; on se contentait d'apprécier la fascination qu'exerçait sur nous cette foire aux monstres quotidienne dont nous étions l'un pour l'autre l'attraction phare. Des billets gratuits à vie, c'était tout ce qu'on demandait. Il n'y avait aucune passion entre nous et il n'y en aurait jamais ; nous n'étions que les personnages d'un livre médiocrement intitulé *Greffe de cœur*. Et curieusement, pour l'un comme pour l'autre, c'était davantage de bonheur que nous n'en avions jamais espéré. Nous n'étions pas humains, c'était ça le truc génial. Nous étions probablement les deux seules personnes à la surface de cette terre à troquer joyeusement l'amour contre l'indifférence. Selon moi, les histoires d'amour constituaient une trop grande source d'emmerdes pour que je m'en encombre.

Or Fenton menaçait de tout gâcher. Ses mains étaient arrivées en haut de ma paire de bas en laine et parcouraient mes hanches, mon dos, sans aucune considération pour les faits indiqués ci-dessus.

« Fenton, putain, qu'est-ce que tu fous ? »

En toute honnêteté, j'étais un peu... comment dire ? carrément séduite. Mes paupières se fermèrent et tout se mit parfaitement en place, comme si chaque mouvement avait été chorégraphié dans une grange, dans une vie antérieure. Soudain, il me semblait impossible d'être jamais rassasiée. Chaque baiser devait aller plus loin et le moindre contact devait laisser une bosse pour me satisfaire. Bon sang ! Je ne savais pas que l'excitation pouvait être si classe. C'était bizarre, les gars, vraiment. Toutes mes prudentes stratégies mentales avaient volé en éclats.

Je me souviens de m'être dégagée pour lui dire :

« Tu sais, ça pourrait être romantique si on écoutait autre chose, comme musique. »

La radio avait ménagé une pause au révérend Tull et beuglait du bluegrass avec des banjos et des violons qui déchiraient l'air de tous les côtés. Fenton me regarda droit dans les yeux, un peu agité.

Il me repoussa impatiemment et dit quelque chose comme :

« Hester, bon Dieu, comment tu peux t'interrompre pour commenter la musique, là ? »

Alors que nous étions sur le point de reprendre les choses où nous les avions laissées et peut-être assouvir quelque chose pour la toute première fois, la porte s'ouvrit brutalement et le visage rond de Jethro nous observa d'un air neutre par-dessus le siège.

Fenton se releva et glissa vers le volant, calmement, sans la moindre expression.

Heureusement, nous étions toujours habillés. Je suivis son exemple et fis de la place à Jethro pour qu'il puisse grimper. Néanmoins, un silence de mauvais augure indiquait qu'il était temps pour moi de faire une annonce officielle. Comme je ne voulais pas mentir, je choisis d'interpréter librement.

« On cherchait quelque chose. »

Jethro sourit subtilement.

« Vous l'avez trouvé ?

— Ben, pas vraiment, non.

— Vous avez besoin de plus de temps ?

— Non, merci, Jethro. On finira bien par le trouver à un moment ou à un autre. »

Puis nous nous retrouvâmes sur l'autoroute, silencieux, un peu sidérés, sans être sûrs que les sourires que nous avions du mal à réprimer soient très catholiques. Les haut-parleurs d'Arlene continuèrent de diffuser de la country en continu.

«Je suis un joueur vagabond, avec des dettes partout, et chaque fois que je vois un jeu de cartes, je vide mes poches[1].» Refrain : «Je vide mes poches, je vide mes poches !»

Je me mis à chanter à partir du troisième refrain.

C'est fou à quel point on se sentait tous bizarres après ça ! Aucun de nous ne prononça un seul mot pendant à peu près trois millions d'heures.

---

1. «I am a roving gambler / Gambled all around ! / Whenever I meet with a deck of cards / I lay my money down» est extrait d'une chanson de Kelly Harrell intitulée *Roving Gambler*.

Il paraît que le Jourdain
est large et profond[1]

Cette nuit-là, nous allâmes nous coucher comme si notre excitation n'avait plus d'emprise sur nous. Je m'étendis d'un côté du lit et Fenton de l'autre. Ma tête était tournée vers l'arrière du camping-car et la sienne vers l'avant. Le fossé qui nous séparait était aussi large que d'habitude, peut-être même davantage. Essayions-nous de prouver quelque chose ? Peut-être espérions-nous pouvoir nous relever comme si nous n'avions pas de sang sur les genoux ? Mais comment faire ? Comment jouer gracieusement les prolongations ? Comment éviter un lapsus, un déraillement, une collision ? Comment dissimuler une attirance ? C'était étrange de se concentrer si fort sur le vide alors que nous étions clairement en train de faire semblant. Comment éviter la honte que t'inflige la réalité insolente ? Comment congédier de ta mémoire un incident qui la plaque au sol à chaque seconde du jour et qui en fait de la purée sanguinolente ? Comment s'asseoir

1. Le titre de ce chapitre, « They tell me Jordan River is deep and wide », est inspiré d'un gospel traditionnel intitulé *Michael, Row the Boat Ashore*.

là-dessus et sourire avec nonchalance, avec grâce et lassitude ?

Eh bien, Fenton et moi avons simplement fermé les yeux.

J'imagine que c'est à ça que pensent en permanence la plupart des filles, même une fois mariées, ou en chargeant des sacs de courses dans leur minivan beige. Mais quand tu n'as jamais rien demandé en matière de liaisons brûlantes sous le soleil couchant, c'est une tout autre histoire. Une histoire d'horreur. Tu n'as jamais cherché à éprouver ça. Tu ne t'y es jamais attendue. Et quand soudain la passion surgit d'un buisson, tel un gendarme contrôlant la vitesse des voitures sur le bord d'une autoroute, d'une certaine façon tu peux avoir la sensation qu'on te mène à l'abattoir. Et peut-être est-ce ainsi que les choses sont censées se dérouler. Mais j'ai toujours fait en sorte d'éviter ça ; j'ai fait de mon mieux, depuis le CM1, pour anéantir toute occasion de changer ma vie en comédie romantique. Le fait qu'un jour quelque chose dans une improbable paire d'yeux me remuerait de cette façon ne pouvait que me laisser complètement démunie : j'étais dans une impasse avec le peu de santé mentale qu'il me restait.

J'ignore si les choses reprirent jamais leur cours normal. Il devint assez difficile de dire ce qui relevait de la norme ou non. Peu importe que nous ayons réussi à nous sortir de la zone crépusculaire, il semblait qu'on ne pouvait en réchapper que paranoïaque, handicapé, privé du sens de l'équilibre ou de l'orientation. Nous parvînmes à ignorer les traces de ce qui s'était passé. Le lendemain, je regardai à peine mon mari de toute la journée. Ses yeux bleus froids s'étaient vidés de tout souvenir. Ils me donnaient l'impression d'être folle et seule au monde, certes, mais ça valait peut-être mieux que d'y trouver des indices de quelque chose qui n'aurait pas dû se produire. Ce qui était arrivé était un accident. Qui a envie de discerner les signes de sa propre maladie dans les traits d'un autre ? Si vous aviez un troisième sourcil, est-ce que vous aimeriez que le moindre passant sourie pour vous le rappeler ? Vous préféreriez sans doute faire tranquillement abstraction de vos petits défauts de fabrication divine.

Je brossai donc les miettes sur mes genoux et décidai de ne plus jamais y penser. Mais j'en rêvai. Et quand je me réveillai le matin suivant, la première chose qui me vint à l'esprit fut la façon qu'avait eue Fenton de poser ses mains sur mes joues brûlantes. C'était foiré !

Dans une certaine mesure, tout s'effondra dans ma vie lorsque je compris que j'étais davantage faite de chair et de sang que je ne voulais bien le croire. C'était très troublant. Toutes les choses que j'appréciais jusque-là s'étaient volatilisées. En l'espace d'une grise matinée à peine, toutes les certitudes avec lesquelles j'avais grandi, depuis le jour de ma conception, dérivèrent de leur position et de leurs proportions habituelles. La seule chose sur laquelle j'avais toujours cru pouvoir compter, la seule chose que rien ne pouvait entamer, c'était mon immaturité sans bornes. Et voilà que je me retrouvais soudain assise toute seule sur les marches du camping-car de bon matin, tapotant nerveusement une spatule contre mes jambes. Il ne subsistait nulle trace de mon sourire.

« Qu'est-ce que tu fais, dehors, avec cette spatule ? »

Je me retournai et il était là, bâillant dans l'embrasure de la porte, avec la même coupe de cheveux que la statue de la Liberté.

« Je comptais faire des pancakes pour Jethro, répondis-je.

— Avec quoi ?

— Je ne sais pas. J'imagine qu'à la base ça n'était qu'une impulsion maternelle utopiste, et puis elle a déraillé dans la réalité.

— Bon, ben, c'est pas juste avec une spatule que tu vas faire des pancakes, et si ça ne te dérange pas j'aimerais que mes ustensiles de cuisine restent propres », dit-il en ôtant la spatule de mes mains et en disparaissant à l'intérieur, dans l'obscurité.

Fenton était redevenu lui-même à la seconde où il s'était redressé de mon siège la veille. Plus que jamais, d'ailleurs. Il ne mentionna pas une seule fois ce qui s'était passé, ni avec des mots, ni avec des regards, ni avec des sourires, ni même par de l'agacement. Ça n'avait jamais eu lieu. Et comment aurait-ce pu être le cas ? C'était ça, le truc : ça ne pouvait pas arriver. Pas à Fenton Flaherty et Hester Day. Avec ses mains sur le volant, ses yeux plissés rivés sur l'autoroute devant nous, son visage inexpressif et son chapeau des Alpes suisses en laine colorée, il était redevenu une petite racaille de poète et rien d'autre. C'est ce qu'il avait toujours été. Ces mains-là empoignaient une fille de la même façon qu'elles auraient tiré la chasse.

Peut-être était-ce l'unique raison pour laquelle nous

prîmes cet auto-stoppeur. Pour créer une diversion. Je ne vois vraiment pas pourquoi Fenton se serait arrêté, sinon. Ce n'est pas comme si nous avions besoin d'une pièce rapportée supplémentaire dans le camping-car.

« Faites de la place, les gars, dit Fenton, on prend ce type avec nous. »

L'étranger sursauta à l'arrivée soudaine et si agressive d'un véhicule. La veste de ski qu'il agitait au-dessus de sa tête lui échappa des mains et il manqua presque de glisser en marchant dessus, d'ailleurs. Il avait plu toute la matinée et le sol ne demandait que ça : un gag « peau de banane ». Il reprit son équilibre au dernier moment et nous suivit du regard, alors que nous nous arrêtions à un stop. Il était grand et maigre avec une barbe emmêlée.

Fenton repassa soudain la première.

« On laisse tomber. Ça a l'air d'être un genre de fou de Jésus. »

Mon bras s'abattit violemment sur celui de Fenton.

« Tu rigoles ? C'est pas parce que quelqu'un kiffe Jésus que tu dois redémarrer comme ça ! »

Aussi étrange que cela puisse paraître, c'était la première chose concrète que je lui disais depuis l'incident.

« Il se trouve que j'ai un mauvais pressentiment à propos de ce type, répliqua calmement Fenton en dégageant mes doigts agrippés à son bras.

— Un mauvais pressentiment, mon cul ! »

Nous roulions sur le bas-côté mais là, il dut s'arrêter à un autre stop.

« Je déteste quand tu réponds ça, dit-il en soupirant laborieusement, comme à son habitude. Il n'y a pas

185

de façon plus puérile de contredire l'argument d'un interlocuteur. »

Je faillis laisser échapper un sourire. Ça, c'était Philosophie-Man tel que je l'avais connu à la bibliothèque, avant notre mariage ! À l'époque où je l'observais chercher méthodiquement son chemin entre les rayonnages. Je n'ai jamais su pourquoi il passait tant d'heures là-bas, mais j'imagine que j'étais fascinée par le fait que ses activités soient à ce point dénuées de sens.

« Hester, tu m'écoutes ? »

Et ça, c'était lui *maintenant*.

« Attends, dis-je, tu ne peux pas donner de faux espoirs à quelqu'un comme ça.

— Je dois quelque chose à ce gars ? Tu veux que je me lance aussi dans une collecte de fonds, tant que j'y suis ?

— Oh, ta gueule. Comment tu sais que c'est un fou de Jésus, en plus ?

— Tu te fiches de moi ?

— Il a une barbe. Eh donc !

— Je connais ce genre de type. Mon père est pareil. Je peux les flairer de l'autre côté de l'océan Atlantique, putain !

— Ouais, tu es un spécialiste, je n'en doute pas.

— Tu as un père ? demanda Jethro en levant les yeux vers Fenton.

— Oui. Au cas où tu ne serais pas au courant, les êtres humains ont besoin de s'accoupler pour faire des enfants. Il est très improbable qu'une femelle parvienne à se reproduire sans avoir eu de rapport sexuel. »

Le regard de Jethro s'égara.

«Oh, comme…

— Bon, on verra ça plus tard, dis-je. Il y a le fou de Jésus, là, qui trotte vers le camping-car et on n'a toujours pas pris de décision.»

Fenton jeta un coup d'œil par-dessus son épaule à la silhouette en blouson de ski.

«De quoi tu parles? J'ai pris ma décision, dit-il. Je ne vois pas ce qui te fait penser que je vais changer d'avis.

— C'est à cause de ton père? demandai-je. Tu ne t'entends pas du tout avec lui, ou je sais pas quoi, et maintenant tu as décidé de t'en prendre à tout le fan-club de Jésus?

— Je m'entends très bien avec mon père. C'est juste que je ne m'arrêterai pas pour le prendre en stop.»

Les yeux de Fenton se plissèrent dans ma direction.

«D'ailleurs, c'est quoi ton problème? Tu vas avoir tes règles?

— Oh, s'il te plaît! Tu crois quoi? que je suis une machine? que je ne peux avoir de sautes d'humeur que quand mes hormones sont en train de s'éclater?»

J'ignore pourquoi, mais je ne pouvais plus le regarder en face.

«Ok, très bien, on prend Jesus Freak, putain! s'écria Fenton. Mais ne va pas dire que c'est ma faute si ce type s'avère être un tueur en série et qu'on finit tous en morceaux dans des tas de petits sacs à l'intérieur de son congélateur!»

Jethro leva les yeux.

«Comment on pourrait dire quelque chose si on est coupé en morceaux?

— C'est pas le sujet, rétorqua Fenton.

— Si.

— Non. Qu'est-ce que tu en sais, puisque c'est moi qui ai lancé la conversation ?

— Je dis juste que tu peux pas parler, si t'es en morceaux.

— Écoute, la prochaine fois que j'aurai besoin de l'avis d'un expert, je m'adresserai à toi directement. »

Nous nous interrompîmes tous les trois. La tête de Jesus Freak était collée contre ma vitre et elle nous dévisageait. Ses cheveux longs étaient plaqués contre son front et ses oreilles, sa barbe ruisselait de pluie. Il était assez jeune pour qu'on ne le qualifie pas de vieux, mais j'imagine que tout dépend de l'âge de celui qui émet ce point de vue. Je dirais qu'il avait l'air avoir une petite trentaine d'années. On pouvait deviner à sa mine qu'il était probablement alpiniste. Peut-être que je dis ça uniquement parce qu'il avait l'air en bonne santé. On aurait dit que la vie bouillonnait en lui – plus qu'à l'intérieur de chacun d'entre nous dans ce camping-car, en tout cas. C'était le genre de bonne mine que nous n'aurions pas pu nous offrir, étant donné la façon dont on avait grandi. Une sorte de crasse typique des villes de taille moyenne nous collait à la peau et on aurait eu besoin d'un bon baptême purificateur pour pouvoir briller comme cet auto-stoppeur.

Je baissai ma vitre rapidement.

« On vous emmène quelque part ?

— Mon Dieu, les gars ! » dit-il.

Sa voix était douce et lente et il articulait exagérément, ce qui lui donnait l'air carrément ridicule. Je hochai la tête et il poursuivit. Il parlait comme le ferait un prof d'anglais avec un élève taïwanais débutant.

« Merci ! Vous n'avez pas idée depuis combien de temps j'attends là ! Les gens ont peur des barbes ou quoi ?

— Ouais, je sais, dis-je en jetant un regard noir à Fenton. Et donc, repris-je, on vous emmène quelque part ?

— J'apprécierais vraiment. Vous allez où ? »

Je haussai les épaules.

« À Chicago, apparemment.

— Parfait. Vous avez de la place à l'arrière, les gars ?

— Pourquoi ? demanda Fenton, suspicieux.

— Juste pour mettre mes affaires. »

Fenton me fusilla du regard, puis, comme s'il était trop tard de toute façon, il me lança les clés de la porte arrière. Je sortis sous la pluie, juste à temps pour apercevoir ceci : l'auto-stoppeur souleva quelque chose du sol, qui s'avéra être une croix assez grande pour y clouer un buffle. Je ne pris même pas la peine d'échanger un regard avec Fenton. Et alors ? Pour une fois dans sa vie, il avait vu juste : l'auto-stoppeur était bien un fou de Jésus. La belle affaire !

En lui ouvrant la porte arrière du camping-car, je ne pus m'empêcher de lui demander innocemment :

« Tu es religieux ?

— Je fais ce que je peux.

— Oui, je vois ça.

— Les gens ont tendance à croire que je suis un fou de Jésus, tu vois. Je pense que c'est pour ça que les voitures ne s'arrêtent pas.

— Hum, ben, tu trimballes avec toi une croix légèrement plus volumineuse que ce que la plupart des gens seraient prêts à transporter.

— Peut-être, mais c'est une de mes petites lubies, c'est tout. Je t'assure, je suis juste un mec normal : j'ai un diplôme de droit, des parents qui attendent encore de rencontrer ma femme, le rêve de devenir animateur radio, blablabla.

— Ça m'a l'air assez normal.

— Ouais.

— Donc la croix, c'est juste pour le fun ?

— Je demande à des gens de la signer. Je crois dur comme fer aux préceptes de la Bible, comme tout le monde. J'essaie juste d'apporter ma petite contribution. Je ne suis probablement pas très différent de toi ou de tes amis à l'avant. »

La croix était maintenant à moitié dans le camping-car. J'y grimpai pour la tirer de l'autre côté, tandis que Jesus Freak la poussait une dernière fois.

« Bon, je ne peux pas nier que tu apportes ta petite contribution, dis-je en sautant à l'extérieur, en revanche je ne m'avancerais pas trop, si j'étais toi, sur cette histoire de ne pas être différent de nous. On a des lubies dont tu ne voudrais même pas entendre parler.

— Oh, mais je le pense vraiment. On est tous des êtres humains.

— Je te trouve bien sûr de toi. »

Il commença à m'observer avec un profond intérêt.

« Tu ne penses pas que nous sommes tous des êtres humains ? »

Je levai les yeux au ciel, discrètement.

«Ben, techniquement, si. Peut-être que c'est ça le problème. La race humaine. Les hommes, les femmes… Oh, putain, je raconte n'importe quoi.»

C'était embarrassant d'avoir une discussion si sérieuse à l'arrière du camping-car. On se serait vraiment crus dans un mauvais film d'auteur.

«Allez, viens, dis-je en levant les yeux vers lui. On n'a le droit d'avoir ce genre de conversation avec un parfait étranger que si on est bourré quelque part à cinq heures du mat'. Je crois qu'il existe une loi à ce sujet.

— Tu as l'air d'avoir des soucis à propos d'un truc», répondit-il nonchalamment.

La pluie nous tombait dessus et je restai là, immobile et gelée, les clés à la main.

«Qu'est-ce que tu veux dire? demandai-je, sous le choc.

— Ben, quelque chose ne va pas, non?»

La façon qu'il avait de poser des questions était directe et innocente. C'était de la curiosité de cour de récré. C'est probablement la seule raison pour laquelle je n'étais pas offensée; mais, bien sûr, je fis mine du contraire.

«Quoi, t'es psy maintenant?

— Désolé, s'empressa-t-il de dire. Je sais que je n'ai aucun droit de te demander un truc pareil à peine trois minutes après t'avoir rencontrée.

— Au contraire, depuis la première seconde tu as le droit de me poser n'importe quelle question. Mais je ne suis pas obligée de répondre, quand bien même on se connaîtrait depuis dix milliards d'années. C'est ça la beauté du truc.»

Il hocha la tête.

« Bon, sérieusement, si tu veux tout savoir, je ne suis qu'une petite morveuse pourrie gâtée. Et quand je dis que j'ai des problèmes, ce n'est que pour flatter mon ego. Allez, viens, abritons-nous. »

Je claquai la porte et Jésus me suivit.

La question appelle une réponse [1]

Je ne sais pas pourquoi nous nous étions mis dans la tête que prendre un auto-stoppeur changerait quoi que ce soit ou que ça détournerait notre attention, parce que notre attention demeurait rivée à tout ce à quoi nous nous efforcions de ne pas penser. Rien de neuf au ministère des Mélodrames de cour de récré, si ce n'est que désormais nous devions partager le camping-car avec un parfait étranger. Et sa croix.

« Duncan Clyde, dit Jésus en tendant successivement la main à tout le monde.

— Hester, répondis-je. Ça, c'est mon cousin, Jethro. Et mon mari, Fenton. »

Il sourit.

« Eh bien, je suis ravi de faire votre connaissance à tous. Je suis sûr que je ne pouvais espérer de meilleure compagnie en ce jour pluvieux. »

La radio se mit à diffuser de doux hymnes religieux et nous nous tûmes. Je n'avais plus la moindre idée d'où nous étions, même si nous avions perdu

---

1. Le titre de ce chapitre, « Question begs the answer », est inspiré d'une chanson de Tom Waits intitulée *All the World Is Green*.

tellement de temps à aller nulle part en particulier qu'à mon avis nous devions toujours nous trouver dans le Kentucky. Nous avions dérivé vers d'étranges paysages hivernaux. De petites routes de campagne qui rampaient à travers des forêts, où des cimetières désuets poussaient au milieu des arbres... Beaucoup de pluie toute la journée... De mornes stations-service, avec des sanitaires dans un état déplorable... Parfois, il nous arrivait de nous arrêter dans des établissements locaux, gérés par des familles du coin, où d'appétissants petits hot-dogs tournaient doucement derrière le comptoir et où d'aimables femmes étaient prêtes à vous donner leur avis sur tout et n'importe quoi. Peut-être aurais-je dû leur demander conseil. Mais qui aurait pu comprendre ? Je n'y entendais déjà pas grand-chose moi-même.

Le soir était tombé. Les phares creusaient des tunnels brillants dans la nuit. Je m'étais réveillée environ une heure plus tôt et j'avais décidé de faire la morte. Je me contentais de rester étendue comme ça et d'écouter la radio jouer des airs joyeux. Beaucoup trop joyeux pour l'occasion. Jethro s'était endormi et Duncan fixait calmement la route.

« Fenton, je me demandais si tu pourrais t'arrêter à la prochaine station d'essence, dit-il soudain. Je voudrais acheter des cacahuètes, si ça ne t'embête pas. »

Fenton répondit « Bien sûr », avec l'air de quelqu'un qui serait en train de dire quelque chose de beaucoup moins conciliant.

Peu de temps après, nous étions assis à l'arrêt, baignés dans les lumières vives d'une station Texaco, à regarder Duncan qui scrutait les rayons de biscuits apéritifs dans la boutique. Il prenait chaque petit emballage et le retournait pour étudier la liste des ingrédients d'un œil sérieux, avant de le reposer. Je compris que ça allait durer plus longtemps que prévu. Pour patienter, Fenton et moi observions en bâillant par les vitres les gens faire le plein d'essence. Duncan appela l'un des caissiers et ils se lancèrent aussitôt dans une conversation concernant le stock de biscuits apéritifs. Le silence dans le camping-car devenait inquiétant et ça m'exaspérait.

« Fenton…, lançai-je finalement.

— Quoi ?

— Je pensais qu'on était d'accord sur le fait qu'on ne s'aimait pas. Et ça ne veut pas dire qu'on ne s'apprécie pas. Juste qu'on ne s'aime pas. »

Il leva vers moi des yeux inexpressifs.

« C'est une question ?

— On s'en fout. Je veux juste savoir, si c'est le cas, pourquoi on sortirait ensemble, comme hier ?

— J'en sais rien. Jethro était parti pisser. Sur le moment, ça avait l'air d'être le truc à faire. »

Me vint l'envie de rayer tout le capot de son camping-car avec les ciseaux que l'on gardait dans la boîte à gants pour se défendre contre une éventuelle attaque. Mais j'imagine que j'étais trop âgée pour ça. Ou trop sensible. Ou pas assez. Ou quelque chose dans le genre.

« Bon, déclarai-je en ouvrant la porte, je vais me remettre à fumer. »

Je dépassai Duncan qui revenait de la boutique avec deux paquets de cacahuètes à la main. Il m'examina attentivement au passage.

« Qu'est-ce qui ne va pas ? s'enquit-il.

— Rien. Je vais acheter des cigarettes.

— Tu es sûre ? »

Je m'arrêtai et fronçai nerveusement les sourcils.

« Évidemment que je suis sûre. Mon corps a besoin de nicotine. Ça te pose un problème ?

— Non, aucun.

— Bon, alors quoi ?…

— Désolé, je ne voulais vraiment pas avoir l'air de…

— Oh, laisse tomber, l'interrompis-je d'un geste de la main. Je suis juste en train de faire ma chieuse. Ne fais pas attention à moi. »

Cela m'obligea à me demander, en revenant vers la voiture, si nous avions tous perçu les premiers signes de la catastrophe. Et si nous avions fait de notre mieux pour feindre de ne pas en être conscients. Les choses allaient-elles si mal que ça ? Je jetai un coup d'œil au visage endormi de Jethro. J'ai toujours adoré regarder les gens dormir. Observer leurs lèvres pendre, totalement hébétées, tandis que rêves et cauchemars escaladent leur visage. Les gens qui dorment semblent immergés dans l'ignorance. Ça doit être vrai, ce qu'on dit : l'ignorance est une bénédiction. Dès que tu fermes les yeux, tous les sujets qui ont une quelconque importance dans la journée sont effacés de l'ardoise et tu te mets à courir dans des couloirs qui laissent filtrer de la lumière verte dans ton dos. Le mal prend la forme de sorcières, de loups-garous, de silhouettes sombres et translucides, et ça vaut mieux comme ça, si vous voulez mon avis. Qui a envie d'affronter le mal sous la forme d'avocats, de politiciens, de liaison amoureuse ou de tumeur maligne ? Dans les rêves, tout vaut tellement plus la peine. Une peine qui a du style, en plus. Dans la vraie vie... Ben, il n'y a qu'à voir !

« Je peux prendre le volant, hein, si vous voulez vous reposer, les gars, proposa Duncan.

— Tu as ton permis ? demanda Fenton à ma grande surprise.

— Oui, répondit Duncan. Enfin, je ne l'ai pas là, sur moi, mais je l'ai passé et tout ça... C'est juste que je ne suis pas très doué pour conserver tout ce qui est petits documents plastifiés. »

Fenton arrêta le camping-car sur le bas-côté et déplia une carte routière.

« Tu penses que tu vas réussir à suivre ce trajet ? » demanda-t-il en désignant les autoroutes qu'il avait surlignées en vert.

Duncan loucha sur le réseau d'autoroutes en caressant sa barbe, tel un pirate, et dit :

« Ça m'a l'air d'être presque toujours tout droit. »

Fenton hésita un moment. Les clés se balançaient sans énergie sur le contact et rien ne garantissait encore qu'il abandonne la place du conducteur. Je m'imaginai apercevoir de la sueur froide perler sur son front. Je ne pensais pas qu'il irait jusqu'au bout. Mais il le fit. Il ouvrit la portière et dit :

« Bon, prends bien soin d'Arlene. Je serai à l'arrière si tu as besoin de moi. »

J'en suis restée bouche bée, je l'admets. Du sang épais s'écoulait d'une blessure quelque part à l'intérieur de moi. Mon mari m'avait dit un jour qu'il préférerait balancer le camping-car du haut d'une falaise plutôt que de me laisser le volant. Donc vous comprendrez que non seulement il me manquait les mots pour dire, mais même pour penser quoi que ce soit, lorsqu'il tendit les clés à un parfait inconnu sans plus d'hésitations que ça. Et pas n'importe quel parfait inconnu : un type qu'il rechignait à laisser entrer quelques heures plus tôt de peur que ce ne soit un tueur en série. Je n'en revenais pas. Il était capable de mettre Arlene en danger, de risquer tout ce qui comptait dans sa vie, juste pour me flanquer un uppercut. Quel inestimable connard !

Je secouai la tête. Enfin, peut-être ne l'ai-je pas vraiment fait, mais j'aurais dû, parce que j'assistais à un enterrement : notre relation (quelle qu'ait été sa nature) était morte. Fenton et moi étions des étrangers l'un pour l'autre et toutes les raisons pour lesquelles j'imaginais que nous nous entendions bien venaient de s'évaporer sous mes yeux.

Nous laissâmes Jethro à l'avant, avec Duncan et sa carte routière. Je voulais qu'il puisse dormir, et je savais qu'à l'arrière il se réveillerait très probablement au son de la casserole que j'écraserais sur le crâne de Fenton.

« Ne me dis pas que tu es énervée parce que je laisse Duncan conduire ! lança Fenton après avoir claqué la porte derrière nous.

— C'est plus compliqué que ça. »

Il leva les yeux au ciel.

« Tu es vraiment énervée !

— Non, dis-je en le dépassant et en arrachant l'édredon du lit. C'est juste que tes grands idéaux m'ennuient à mourir. J'en ai marre de ta façon de parler et de ta façon de me prouver... peu importe, putain, ce que tu essaies de me prouver ! J'en ai marre de *Greffe de cœur* et j'en ai marre de tes prétentieuses manières de connard.

— Mes prétentieuses manières de connard ?

— C'est bon, allez ! T'es même pas la moitié du connard que t'aimerais être. Tu gardes ça au chaud juste pour moi. Aujourd'hui, pendant le déjeuner, t'étais très poli avec cette vieille serveuse. On aurait dit un portier d'hôtel cinq étoiles avec une cliente millionnaire dont les pourboires l'aident à nourrir ses enfants !

— Tu crois que j'ai fabriqué un alter ego pour toi toute seule ?

— Pas un simple alter ego ; tu as fabriqué tout un Mister Hyde rien que pour moi.

— Il faut quand même beaucoup de culot pour croire que le monde entier tourne autour de toi !

— Je ne parlais que de toi. Aucune allusion au monde entier.

— Est-ce que quelqu'un t'a déjà dit que tu étais une petite merdeuse à peine sortie de la maternelle ?

— Des tas de gens. Est-ce que quelqu'un t'a déjà dit que tu étais un pauvre cliché de poète beatnik, qui n'est déjà qu'un cliché d'une version demeurée de Lord Byron ? »

Fenton ne dit plus rien. Il se contenta de me regarder aménager un petit lit pour moi toute seule de l'autre côté du camping-car, là où traînait le sac de couchage de Jethro. Il avait les mains dans les poches et me fixait froidement, sans vie, comme si j'étais le sujet d'une expérience scientifique agrippée aux parois de mon éprouvette.

«Je veux divorcer», dis-je.

Il aurait pu se passer un million de choses dans sa tête, mais jamais je n'en aurais eu connaissance. Rien n'avait bougé sur son visage. Pas un muscle. Tout était coulé dans du béton.

«Cela dit, poursuivis-je, pourquoi divorcer? Quelle triste blague! Tout ce que j'ai à faire, c'est m'en aller. C'est un mariage bidon depuis le début. Autant qu'il se termine comme il a commencé.»

Après un silence inhabituellement long, il se contenta de dire:

«Je pense que je ne pourrai plus jamais respirer aussi facilement.»

Je n'en revenais pas qu'il dise un truc pareil, les mains dans les poches, avec un tel calme, d'un ton si direct et si monocorde! Qu'étais-je censée ressentir, moi, à propos de ça? J'aurais aimé avoir envie de lui arracher les amygdales, mais je n'y arrivais pas. Il n'y avait pas la moindre trace de dérision dans ses mots, ni même de haine.

«Bon, répondis-je, je ne vois pas pourquoi tu t'en ferais pour ça. Tu étais au courant que je pouvais repartir comme j'étais venue. Il me semblait que c'était clair.

— Comment tu vas t'en sortir? dit-il. Parfois, j'ai juste peur de regarder. J'ai l'impression qu'il y a un camion, quelque part, dont le destin est de te renverser, chaque fois que tu traverses la route.»

Je n'aurais pas pu dire s'il s'inquiétait pour moi ou s'il n'aimait tout simplement pas la vue des accidents. Je décidai de ne pas poser la question et j'achevai de faire mon lit de l'autre côté de la pièce, sur le sac de couchage de Jethro. Ouais, je divorçais avec grande classe.

Je ne savais pas pourquoi je souriais. Il n'y avait pourtant rien de très amusant dans notre conversation. C'était exaspérant et triste, et puis il y avait cette part de moi qui désirait toujours écraser la casserole sur la tête de Fenton. Je ne savais plus qui avait l'avantage sur l'autre, ni de quoi il était question exactement, d'ailleurs. L'issue de la dispute ne m'intéressait pas le moins du monde. Plus maintenant. Je ne cherchais pas à gagner quoi que ce soit, alors je m'étendis et éteignis la lumière.

Que Fenton et moi fussions ennemis n'avait jamais fait l'ombre d'un doute, mais j'avais présumé une loyauté ineffable nichée quelque part, dans un espace entre nous impossible à circonscrire. Il m'avait toujours paru étrange de penser que mon adversaire fût l'une des rares personnes sur lesquelles je puisse compter, mais j'aimais cette idée. J'aimais l'idée d'une loyauté tapie là où elle n'aurait jamais dû se trouver.

Bon, ce n'était pas drôle de découvrir que j'avais accordé ma confiance au pur fruit de mon imagination. Surtout lorsque l'on est allongé par terre, dans un sac de couchage.

Là où je n'avais jamais mis les pieds

Cette nuit-là, je me pelai le cul et rêvai que j'accouchais d'un lézard. C'était l'une de ces nuits sans fin où tu as en permanence conscience de tout ce qui te gêne, jusqu'au moindre tic-tac d'une montre qui n'est pas la tienne, et tout ce que tu peux y faire, c'est rester allongé là, comme un cadavre, trop paralysé pour bouger un muscle ou prendre la peine de réarranger ton lit mal fait. Le matin se dégageait dans le ciel. J'entrepris de réfléchir à ma dispute de la veille avec Fenton, mais gisait, étendue en travers de mon esprit, se débattant comme une victime attachée sur une voie ferrée, l'idée qu'aujourd'hui nos chemins étaient censés se séparer. Qui sait ? Peut-être n'aurions-nous plus jamais l'occasion de nous serrer la main. Il était difficile de comptabiliser d'un seul coup d'œil, à la lumière matinale, les pertes sur le champ de bataille exsangue.

Je me levai et fis glisser la cloison qui séparait l'arrière et l'avant du camping-car. Duncan et Jethro étaient en train de se moquer de quelque chose. Ils écoutaient la retransmission en direct d'un concours de tyroliennes. Le brouillard étranglait la route devant eux. Tout était si gris et calme… Exactement comme une matinée de divorce se doit de l'être. La manière d'iodler des concurrents japonais s'harmonisait avec le paysage et conférait au jour une saveur mélancolique. Et je crois avoir été jalouse de les voir rire de bon cœur, en écoutant un concours de tyroliennes à la radio, parce que moi j'en étais incapable. J'imagine que je comprenais maintenant pourquoi tant de gens me regardaient d'un air consterné quand quelque chose m'amusait.

Aux environs de huit heures trente ce matin-là, nous nous arrêtâmes dans une station-service pour nous lancer à l'assaut des machines à café. Quand on roule depuis si longtemps, on commence à se rendre compte que, sans caféine, le corps ne tiendrait pas le coup. Jethro se précipita en courant à l'arrière du bâtiment, car c'est ce que sont censés faire les enfants quand on les laisse sortir de la voiture. Duncan descendit sa croix du camping-car pour la faire signer par un couple de Texans. On se retrouva seuls avec Fenton, debout devant une machine à café, à attendre que nos gobelets se remplissent. Nous tentions de nous ignorer, ce qui est toujours plus facile à dire qu'à faire. Nous ne disions pas un mot. Nous nous observions avec suspicion.

Nous avions la particularité d'être incompréhensibles l'un pour l'autre, c'est pourquoi nous étions en permanence en train de nous faire des films. Nous avions pris l'habitude de nous dévisager, pour chercher à interpréter nos expressions respectives. D'étudier nos regards et la façon dont nos lèvres s'ouvraient, la façon dont nous respirions et celle dont nos sourcils plongeaient sur nos paupières. De tenter de deviner, à la couleur de notre teint et aux ombres sous nos yeux, ce que l'autre essayait de dire. Parfois, nous nous comprenions beaucoup mieux de cette manière qu'avec des mots. Nous avions recours aux techniques que les scientifiques emploient pour étudier de nouvelles espèces de plantes.

Ce matin-là, évidemment, nous étions particulièrement mauvais à ce jeu. Nous avions l'air bizarre, à hésiter du regard entre le visage de l'autre et les traînées de café chimique sur nos gobelets en carton. Que font les extraterrestres quand on a besoin d'eux ? Pourquoi n'attaquent-ils jamais de paisibles boutiques, des champs ou des fermiers innocents quand cela s'avérerait utile ?

Soudain, l'œil errant de Fenton se figea sur une étagère derrière moi.

« On est dans l'Illinois, n'est-ce pas ? demanda-t-il.

— Ouais, dis-je. On devrait, en tout cas, si Duncan a conduit presque toute la nuit. »

Fenton abandonna son café et me frôla au passage, en se dirigeant vers l'étagère.

« Ils vendent des verres à liqueur, là, et il y a écrit "Missouri" dessus. »

Il me tendit le verre et nous nous mîmes tous deux à l'examiner.

« Tu trouves ça normal ? » demanda-t-il.

Je souris.

« Pas vraiment. »

Se rendre compte qu'on s'était fait kidnapper par le fou de Jésus pris en stop la veille, c'était très exaltant. Du moins pour moi. Cela me donna même l'impression d'avoir été fraîchement baptisée. Purgée, purifiée et prête à tout recommencer à zéro. Voilà les vraies fibres dont la vie était tissée ! Bien que je croie que les sentiments de Fenton à ce sujet étaient peut-être légèrement différents.

« Je vais tuer ce fils de pute !

— Non, dis-je. Je suis sûre qu'il a une explication parfaitement sensée à nous donner. »

Bon, d'accord, « parfaitement sensée », c'était peut-être exagéré. Mais il avait effectivement une explication et, franchement, elle était mieux que sensée :

« Ben, les gars, pendant que vous étiez en train de parler de Chicago, j'ai commencé à ressentir ces mauvaises ondes… Je veux dire, c'était pas juste vos mauvaises ondes habituelles. Elles n'étaient vraiment pas bonnes du tout, celles-là. Il n'y avait pas moyen que je vous laisse poursuivre votre route comme si de rien n'était, alors que vous m'aviez pris en stop sous la pluie et tout ça. Maintenant, je me rends compte que j'aurais pu vous en parler avant, quand on était dans le Kentucky, mais j'avais le pressentiment que si je vous l'avais dit là-bas, vous ne m'auriez peut-être pas pris très au sérieux. Vous auriez pu croire que j'étais fou, par exemple. Je ne dis pas que vous auriez pensé ça forcément, mais ça m'est déjà arrivé.

— Quoi ? hurla Fenton. De quoi tu parles, putain ? »

Je posai ma main sur son épaule.

« Calme-toi, il a simplement ressenti des mauvaises ondes.

— On peut parler de "flux d'énergie", si vous préférez », ajouta Duncan.

On aurait dit que quelqu'un braquait une arme sur la tempe de Fenton.

205

« Excusez-moi, est-ce que je viens de débarquer sur une autre planète sans m'en rendre compte ? Qu'est-ce que c'est que ces conneries, putain ? Des *mauvaises ondes* ? »

Duncan se gratta la barbe nerveusement.

« Je suis vraiment désolé, les gars, mais c'est le seul moyen que j'ai trouvé pour vous empêcher d'aller à Chicago.

— Dis-moi que tu as manqué une sortie ! Dis-moi que tu as mal lu les panneaux ! cria Fenton. Dis-moi que tu voulais voler ce putain de camping-car, pour l'amour de Dieu ! Mais ne viens pas me raconter qu'on en est là parce que tu as ressenti des mauvaises ondes ! »

Je me détournai pour cacher un sourire honteusement déplacé, mais qu'il m'était impossible de réprimer. Comment peut-on se fourrer dans ce genre de situation ?

« Fenton, je… j'aimerais pouvoir te dire que j'avais l'intention de voler ton camping-car, mais qu'est-ce que j'en ferais ? » commença Duncan calmement, puis sa voix s'affaiblit.

Le brouillard était tombé si bas qu'il caressait le sol. Tous les trois, nous nous tenions un peu à l'écart des pompes à essence douchées par la faible bruine glacée. Tout le monde se tut pendant un moment. Lorsqu'on atteint un certain degré d'absurdité, le moindre effort semble aussi douloureux qu'une rage de dents et il vaut finalement mieux se plier aux circonstances. Voilà exactement où nous en étions. La douleur avait épuisé les traits de Fenton et effacé toute expression de son visage. Mon propre sourire était relégué aux oubliettes.

«Tu as tous les droits d'être agacé», admit Duncan.

Fenton le regarda.

«Je suis dans le Missouri à cause de tes ondes ! Je crois qu'"agacé" n'est pas exactement le terme que j'emploierais.

— D'accord, n'hésite pas à employer tous les mots que tu veux. J'espère juste que tu peux comprendre.

— Pas vraiment, dit Fenton. Pas vraiment. »

Nous étions dans une impasse. Et il commençait à faire froid.

«Putain, laisse tomber, je vais me chercher un café, lâcha Fenton avec indifférence, en retournant sur ses pas.

— Attends ! dis-je. Tu ne peux pas partir comme ça ! On ne sait même plus où on va, maintenant.

— Je ne vois pas pourquoi vous prenez la peine de me poser la question. Mon camping-car n'est de toute évidence qu'un moyen de transport à la disposition de vos itinéraires personnels.

— Vraiment ? Donc je m'occupe des détails avec Duncan ? demandai-je avec espoir.

— Va te faire foutre. »

Il s'éloigna.

«Qu'est-ce qui se passe ? Vous vous êtes encore disputés ? demanda Jethro en arrivant derrière nous.

— Non. Enfin si, peut-être. Je ne sais pas trop… Ça devient de plus en plus difficile à dire. Mais tu as raté une discussion intéressante, ça c'est clair. »

Aucune décision ne fut jamais prise concernant un nouvel itinéraire, une nouvelle destination ou une nouvelle idée pour la conclusion de *Greffe de cœur*. Fenton revint avec son café et nous reprîmes la route.

Les choses furent laissées en suspens et je pense que ça nous convenait parfaitement. Duncan Clyde avait rayé Chicago de la carte des possibles. Il nous avait privés d'objectif. Maintenant nous étions réellement libres. Aucun avenir en vue, sinon celui que nous créions à chaque seconde qu'indiquait la montre accrochée au rétroviseur central.

À midi nous nous trouvions dans le Kansas, et peu de temps après nous étions perdus dans un océan de champs que le soleil teintait d'orange. L'autoroute avait disparu et nous suivions une étroite route en terre. À notre gauche et à notre droite, l'herbe s'étendait jusqu'à l'horizon nu. Il n'y avait que des squelettes d'arbres épars sur le bord de la route. Au début, quelques fermes isolées parsemaient le paysage, avec des granges, des boîtes aux lettres, des clôtures et des jardins boueux ; mais elles s'évanouirent et nous nous retrouvâmes cernés par les plaines du Kansas balayées par le vent, sans même une vache pour compagnie.

Aucun de nous n'avait ouvert la bouche depuis des heures. La radio ne captait pas grand-chose à part des parasites et, avec Jethro qui faisait la sieste, le silence était presque assourdissant.

Soudain, Fenton appuya sur la pédale de frein et coupa le moteur. Nous étions acculés par le néant. La route était si étroite, désormais, qu'en croisant une autre voiture nous serions restés bloqués.

« Quel est le problème ? » demandai-je.

Fenton ouvrit brusquement la porte et bondit à l'extérieur.

« Le problème ? Je ne sais pas si tu as remarqué mais nous sommes perdus ! »

Je levai les yeux au ciel à l'intention de Duncan.

« Je ne peux pas m'empêcher de m'en vouloir : tout est ma faute, dit-il en regardant Fenton se ruer dans un champ.

— Ne sois pas idiot, répondis-je. Qu'est-ce qu'un écrivain ferait d'une vie bien réglée ? Il a besoin d'aller piétiner des champs de temps en temps et de dramatiser.

— Bon, mais il a l'air terriblement énervé, là…

— La belle affaire ! Je commencerai à m'inquiéter le jour où il n'aura pas l'air terriblement énervé. »

Je sautai du camping-car et coupai à travers champs. Une cigarette fraîchement allumée à la main, je rejoignis Fenton, debout les mains sur les hanches, qui fixait intensément le sol en prenant de profondes inspirations.

« Fenton, je ne comprends pas pourquoi tu ne fumes pas. Avec la quantité de crises de nerfs que tu te tapes, ça te ferait le plus grand bien. »

Il resta immobile. Au bout d'un moment, il dit :

« Tu sais qu'au prochain arrêt on pourrait mettre des somnifères dans le verre de Duncan ? Il tombe dans les vapes direct et on le laisse comme ça, sur le bord de la route…

— S'il te plaît, ne me dis pas que tu as des somnifères sur toi…

— Dans la boîte à gants. C'est pas exactement des somnifères, mais avec une bonne dose de ce truc on pourrait assommer un éléphant.

— Qu'est-ce que tu fais avec ces cachets dans ta boîte à gants ?

— C'est au cas où un avion s'écraserait.

— Au cas où un avion s'écraserait *sur toi*, ou au cas où tu serais *dans* un avion qui s'écraserait ? »

Il me regarda comme si ce qu'il lui restait d'esprit venait de se barrer.

« D'après toi, putain ? Au cas où je serais dans un avion qui s'écraserait, évidemment ! Quelle est la probabilité pour qu'un avion s'écrase pile sur moi ?

— Fenton, on est dans un camping-car en plein milieu du Midwest. Quelle est la probabilité pour que tu te retrouves dans un avion qui s'écrase alors que tu es en train de conduire sur une route ?

— Quoi ? »

De toute évidence, nous étions là en train de dérailler vers les régions les plus sombres de la paranoïa de Fenton.

« Laisse tomber, dis-je. Ça ne fait rien. Là où je voulais en venir, c'est que nous n'allons pas droguer quelqu'un et l'abandonner dans un fossé. Il y a quelque chose là-dedans qui ne me semble pas tout à fait légal.

— On s'en branle de la légalité ! Il a volé mon camping-car !

— Je croyais que nous avions précisément établi qu'il n'avait pas volé le camping-car. Tu ne te rappelles pas ? La conversation sur les ondes et tout ça ?

— On s'en fout de pourquoi on est là. On est là, point barre. Et on dirait qu'on a atterri dans une autre galaxie parce que, sur cette planète, il n'y a ni autoroute, ni station-service, ni panneau de signalisation, rien.

— T'es en train de paniquer parce qu'on est perdus ? »

Il me jeta un regard sombre.

« Tu sais, Hester, parfois j'ai l'impression qu'il n'y a rien au monde que je désire davantage que de t'étrangler. »

Je lui tapotai l'épaule.

« C'est exactement ce que je ressens pour toi. »

Nous entendîmes claquer la porte du camping-car et, peu après, Duncan apparut à nos côtés.

« Écoutez, les gars, je sais qu'on a l'air d'être perdus, commença-t-il, hésitant, mais en fait on ne l'est pas. Il devrait y avoir une ferme derrière cette petite colline là-bas. À dix minutes d'ici, maximum.

— Tu connais le coin ? demandai-je.

— Pas particulièrement, non. »

Fenton et moi le dévisagions.

« Alors, comment tu sais qu'il y a une ferme derrière cette colline ? »

Il changea de position, nerveusement.

« Ben, le truc, c'est que je suis un peu médium. Je ne voulais pas trop vous en parler, tout à l'heure, au cas où vous auriez trouvé ça encore plus bizarre.

— Ouais, c'est clair que ça fait une grosse différence quand tu choisis ton moment pour le dire », s'exclama Fenton.

Puis il s'éloigna en direction du camping-car, justement à l'instant où Jethro sortait la tête par la fenêtre.

« Il faut qu'on trouve des toilettes quelque part très vite », nous prévint-il.

Les prophètes sont tous morts
depuis longtemps [1]

Plus bizarre encore, à la limite, que d'entendre l'auto-stoppeur nous annoncer qu'il était médium fut de découvrir qu'il disait peut-être la vérité. Du haut de la colline, la vue était à peu près la même que d'en bas. Le Kansas s'étendait jusqu'à l'horizon et semblait ne pas avoir de fin ; même quand les champs rencontraient le ciel, vous pouviez être certain qu'un paysage identique se déroulait encore au-delà, immuable. On distinguait à peine les branches noires d'un arbre isolé en contrebas de la route. Le ciel était toujours aussi gris et lourd ; il pesait sur les champs, qui paraissaient maintenant plus orange que jamais. Le vent continuait de souffler et faisait méchamment vibrer l'herbe. Assis, les yeux plissés, nous regardions droit devant nous. C'était l'heure de vérité : nous allions savoir si Jésus était fou ou, pire, s'il était un genre de prophète. Ça me fit cogiter. Et si, depuis tout ce temps, en réalité, Dieu existait pour de bon ? Et si une vision de

---

1. Le titre de ce chapitre, « All them prophets are dead and gone », est inspiré d'une chanson de Bob Dylan intitulée *Gospel Plow*.

Jésus était vraiment apparue à des gens, les pointant du doigt dans un rayon de lumière pour les doter de superpouvoirs ? Et si, en fait, c'étaient tous ceux que nous prenions pour des cinglés qui étaient en train de se moquer de nous ? Et si, toute ma vie, j'avais vécu du mauvais côté de la religion ? C'était une idée effrayante.

Jethro découpa mon train de pensées à la tronçonneuse.

« Duncan est médium ! cria-t-il, le doigt pointé au loin. Regardez ! »

Il avait raison. Sur la gauche à l'horizon, se découpait la forme sombre d'une grange.

« Oh, pitié ! murmura Fenton. Le Kansas est *jonché* de granges. On peut à peine faire un pas sans en frôler une.

— Ouais, dis-je, sauf depuis les deux dernières heures, hein ? »

La ferme se composait de deux granges au milieu desquelles se dressait une maison désuète qui avait été blanchie à la chaux très longtemps auparavant. On aurait dit que le vent s'était amusé à la pencher un peu. Aucun signe de vie alentour. Il y avait une petite boîte aux lettres, une clôture qui délimitait nettement la propriété de l'immense terre qui l'entourait, et rien d'autre. C'était à se demander si les habitants avaient conscience de vivre au milieu de nulle part. Probablement pas. Peut-être y voyaient-ils une métropole, qui sait ? Un couple de chiens en plâtre était assis de chaque côté de l'entrée de la cour ; ils regardaient tous deux à droite, ce qui perturba terriblement mon sens de la symétrie. Il y avait aussi toute une armée de drapeaux américains miniatures, de ceux dont on plante les manches en plastique dans le sol le 4 Juillet. À part ça et un nain de jardin étendu face contre terre, la cour était négligée et déserte. Le ménage avait été fait sous la véranda, qui était dotée d'une de ces balancelles suspendues par des chaînes au plafond. Dans les films, les gens passent leur temps à boire des thés glacés sur ce truc.

« Ah, et au fait, si vous voulez mon avis, c'est une coïncidence tout à fait ridicule, murmura Fenton alors qu'on approchait de la porte d'entrée.

— Jethro a besoin de faire pipi.

— Ben, Jethro n'a qu'à pisser derrière un buisson. C'est ce qu'il a fait pendant tout le voyage. Je ne vois pas pourquoi il a soudain besoin de toilettes dans une ferme idyllique. »

Jethro fit une grimace, de toute évidence irrité.

« Je n'irai derrière aucun de ces buissons. On voit à travers les branches.

— J'ai pas l'impression que les gens se bousculent pour te voir pisser.

— Eh ben pourquoi tu ne vas pas faire pipi derrière les buissons, toi, si tu trouves que c'est une si bonne idée ?

— Parce que ce n'est pas moi qui ai une vessie de la taille d'un gland.

— Ma vessie n'a pas la taille d'un gland. C'est ton cerveau qui a la taille d'un gland. »

Je sonnai à la porte. Fenton et Jethro cessèrent de se disputer et nous attendîmes tous que les pas qui nous parvenaient depuis l'intérieur atteignent la porte. Enfin, elle s'ouvrit et nous nous trouvâmes face à un homme âgé, maigre, avec des perles noires en guise d'yeux. Il portait un bleu de travail, une chemise en flanelle et une casquette de base-ball avec l'inscription « Garage Big A ». Une voix de femme résonna dans toute la maison :

« Qui est-ce, Elvin ? »

Elvin se tourna pour crier :

« Eh bien, je n'ai pas encore eu le temps de le leur demander, figure-toi ! »

Puis il se retourna et nous sourit bizarrement.

« Que puis-je pour vous, les amis ? »

Ce sourire lui donnait l'air d'un vendeur de bibles au porte-à-porte, dont les intentions ne seraient pas très catholiques. Mais, une fois que j'eus expliqué que nous étions perdus et que Jethro avait besoin d'utiliser les toilettes, il ouvrit la porte en grand.

« Oh, entrez, entrez.

— Merci. »

La petite forme voûtée d'Elvin creusa son chemin dans le corridor sombre en nous faisant signe de le suivre.

« J'ai perdu ma jambe droite vers l'âge de dix-neuf ans, dans un accident de pêche, expliqua-t-il sans qu'on s'y attende. Là, vous avez peut-être l'impression que c'est une vraie, mais elle est aussi fausse qu'une jambe peut l'être. »

Nous cherchâmes tous quelque chose à répondre et finalement l'un de nous dit : « Désolé, monsieur. » C'était incroyable à quel point on pouvait tous être polis quand on s'y mettait ! On aurait presque pu passer pour des gens civilisés.

« Et vous êtes d'où, tous ? demanda Elvin.

« — De Floride.

— Non ! Vous n'êtes pas des amis de Jack, si ?

— J'en doute, dis-je.

— Ah, bon… Jack est arrivé de Floride il y a un jour à peine. Si ce n'est pas une coïncidence, ça, alors ! Les toilettes sont là, sur ta droite, mon grand. »

Jethro gagna la salle de bains en traînant les pieds tandis que nous suivions Elvin le long du couloir jusqu'à une grande cuisine qui avait vue sur les champs et sur une corde à linge abandonnée. Une vieille femme se tenait debout devant un plan de travail, en train de découper des légumes. Elle avait probablement une petite soixantaine d'années et semblait plutôt en forme pour son âge, mais il était clair qu'elle devait avoir des problèmes de dos, ou de foie, ou ce genre de trucs dont les grands-parents te parlent toujours au téléphone quand tu les appelles.

« Lorna, ces jeunes gens viennent de Floride », dit Elvin en nous englobant d'un geste de la main.

Lorna sourit et nous examina avec minutie. À sa façon de nous détailler, cette femme paraissait aspirer par les pores de notre peau chaque crime que nous avions pu commettre dans notre vie, depuis le tout premier cookie piqué dans un bocal. Elle ne cessait pas de sourire, mais, tout au long de son examen, ses yeux bleu ciel de personne âgée te donnaient l'impression que tu tenais une hache sanglante à la main.

« Oh, ravie de faire votre connaissance. Si vous cherchez Jack, je crois qu'il est sorti il y a un petit moment déjà, dit-elle.

— Non, ils ne le connaissent pas. Ils sont juste perdus, répondit Elvin à notre place.

— Ça alors ! Bientôt toute la Floride va venir frapper à notre porte ! Et Dieu sait qu'avoir un peu de compagnie, ce n'est pas du luxe… Asseyez-vous, je vous en prie. »

Nous nous assîmes tous autour de la table, comme si c'était quelque chose que nous n'avions jamais fait auparavant. Elvin resta debout, un peu maladroitement, à gratter son bras et à nous regarder.

« Ma chère, qu'est-ce qui t'est arrivé à l'œil, si ce n'est pas indiscret ? demanda Lorna en hochant la tête vers moi.

— Oh, dis-je en touchant les séquelles de mon œil au beurre noir, je suis tombée sur un caissier fou à Russellville, en allant acheter du lait. Il avait l'air parfaitement normal jusqu'à ce que ce soit mon tour de payer. Quand je suis arrivée devant lui, il a sauté d'un seul coup par-dessus la caisse et il a essayé de m'étrangler. J'ai eu de la chance. Je m'en suis tirée avec un œil au beurre noir. »

Le mensonge avait tout bonnement jailli de mes lèvres. J'en étais la première surprise. Je sais, d'habitude les gens mentent pour minimiser la nature choquante d'une vérité. Pour quelle raison venais-je de faire exactement l'inverse, je n'en ai pas la moindre idée. Je crois que cela avait un rapport avec les questions de Lorna. Elles me semblaient clairement à charge et j'ignorais comment m'y prendre pour les esquiver. Et puis merde, je ne savais même pas pourquoi j'essayais de les esquiver, d'ailleurs !

« Eh bien, je suppose qu'on ne peut vraiment plus faire confiance aux gens comme avant, dit Lorna. Je te donnerai quelque chose pour ton œil, après le dîner.

— Merci.»

Évidemment, elle n'avait pas cru un traître mot de ce que je venais de raconter mais, à sa place, je ne me serais pas crue moi-même. Quoi que je dise, ça aurait eu l'air louche, de toute façon.

«L'année dernière, notre dentiste s'est fait arrêter, continua-t-elle. Vous savez pourquoi? Pour des faux billets de vingt dollars. Qui aurait cru ça d'un dentiste?

— Ben pas moi, répondis-je.

— Ni moi non plus. Ni la moitié des gens, dit-elle en pointant sa cuillère dans ma direction. Tu vois, c'est toujours pareil. Ce sont ceux qu'on soupçonne le moins qui font ce genre de choses. Si tu gardes ça à l'esprit, tout ira bien. Tu auras toujours un coup d'avance sur les autres.»

J'avais l'impression d'être prisonnière d'un très mauvais scénario. Vous voyez, le genre de scénario dans lequel une bande d'adolescents turbulents tombe par hasard sur une ferme et finit par servir de sacrifice humain lors d'une messe pas très orthodoxe, à l'intérieur d'une cave.

Nous n'avions pas la moindre idée de ce qui allait nous arriver; la ferme nous avait engloutis et notre destin ne dépendait plus de nous. Il n'y avait rien à faire, sinon attendre patiemment d'être digérés en restant assis là. À un moment ou à un autre, ces gens aimables, dévots et sortis de nulle part finiraient par nous recracher sur la route. Tandis que Lorna nous en disait plus sur le dentiste en préparant du thé, je décidai que j'avais intérêt à me tirer de là avant de tomber à genoux et d'avouer un crime que je n'avais pas commis.

«Je ferais mieux de sortir prendre l'air», dis-je en me levant.

Je me sentais bizarre.

«J'ai des problèmes respiratoires et si je n'inspire pas des quantités régulières d'oxygène frais, je fais des crises d'asthme.

— Ma pauvre !

— Oui, j'ai passé Noël dernier à l'hôpital.»

Visiblement, j'avais perdu la faculté de formuler des phrases un minimum véridiques.

Dehors, le temps n'avait pas beaucoup changé. Nous étions toujours en hiver. Il faisait toujours froid. Ce n'était plus le brouillard du Missouri ; les cieux étaient clairs, mais pesants comme un mauvais présage. J'enroulai bien mon écharpe deux fois autour de mes oreilles et descendis les marches du porche. Je me sentais totalement impuissante face à l'avenir. La lumière diminuait et le vent s'intensifiait. Ce n'était pas le meilleur moment pour ouvrir la petite porte au milieu de la clôture en piquets blancs et aller se promener dans ce décor désolé. Mais, évidemment, après avoir été cuisinée par Lorna, je ne désirais qu'une chose : suivre cette petite route aussi loin que possible avant de mourir de froid ou d'être enlevée par de minables voyous du coin. Un après-midi affligé, sans personne d'autre que moi sur la route, l'herbe dansant au gré du vent, mes pensées ancrées là où aucune autre pensée humaine ne l'avait jamais été : j'étais convaincue que c'était la définition officielle du mot «liberté». C'est ça qui devait être écrit dans les manuels scolaires.

Une sensation de plaisir montait progressivement

en moi lorsque j'aperçus une silhouette au loin. C'était un peu décevant d'avoir à partager cette étendue de terre avec quelqu'un d'autre, pile au moment où je venais de décider qu'elle m'appartenait tout entière.

Plus l'homme approchait, plus j'étais convaincue que j'allais le traverser comme un fantôme. Il n'avait rien à faire là, et puis c'est tout.

En fait, quand nous fûmes assez proches, je dus réviser mes plans parce qu'il se trouvait que l'étranger face à moi était celui-là même que j'avais croisé à la station d'essence dans le Kentucky. Nous nous immobilisâmes pour nous observer, comme si nos retrouvailles défiaient les lois de la physique. Elles n'auraient pas dû être possibles. Il ne semblait pas très catholique qu'une rencontre impromptue, au milieu de nulle part dans le Kentucky, débouche sur une réplique exacte de cette même rencontre, au milieu de nulle part dans le Kansas. D'autant plus que le temps semblait avoir disparu de la surface de la terre. S'était-il seulement écoulé depuis la dernière fois ? Nous étions face à face, avec les mêmes écharpes devant la bouche, les mêmes plis dans nos manteaux, la même cigarette entre mes mitaines, chaque mèche de cheveux tiraillée par la même bourrasque de vent.

« Comment vas-tu ? commençai-je, prudente.

— Bien. Et toi ?

— Ouais, moi aussi. »

Il était difficile d'enchaîner après ça.

« Bon… c'est un peu bizarre, dit-il.

— Je ne te le fais pas dire. »

Allions-nous vraiment nous lancer dans une discussion pour savoir d'où l'on venait, où nous allions, pourquoi nous étions là, où nous avions grandi, à quelle école nous avions été ? C'était étrange de parler de choses qui avaient du sens quand rien d'autre n'en avait.

« Désolé. D'habitude, je suis assez doué pour faire la conversation.

— Moi aussi. »

Nous avions raté le coche, là. Nous partageâmes un court silence sans savoir que faire de nos mains, de nos yeux, ou de quoi que ce soit d'autre, d'ailleurs.

Je haussai les épaules.

« On n'est pas obligés de parler, tu sais. On peut juste marcher. C'est pas comme si on était à une réunion ou quoi.

— Bon, ok, mais je ne suis pas sûr que marcher soit plus facile qu'engager la discussion. »

Il avait probablement raison.

« D'ailleurs, à partir de maintenant, on devrait peut-être commencer à organiser des réunions officielles, dit-il.

— Ok d'ac. Le mieux c'est de se présenter, alors.

— Je me serais présenté la dernière fois, en fait, mais je ne pensais pas qu'il y avait une raison de le faire.

— Et maintenant, il y a une raison ?

— Ben, on aurait quelque chose à dire.

— Je m'appelle Hester. »

Il enleva son écharpe de devant sa bouche et me serra la main.

« Ravi de faire ta connaissance. Moi c'est Jack. »

Creuse un trou,
creuse un trou dans la prairie[1]

Jack et moi avancions ensemble vers la ferme, sidérés. C'était angoissant de chercher du sens derrière la coïncidence. Quelles étaient les chances que, sur tous les gens qui peuplent la planète, on tombe précisément sur la ferme de son grand-père unijambiste ? Et quand bien même nous aurions voulu passer outre la phase de stupéfaction, nous ne pouvions pas ne pas être troublés.

« Jack, est-ce que tu crois qu'il y a un genre de divinité là-haut, en train de manger des crackers et de décider à notre place ce qu'il va nous arriver ? »

Il me regarda avec un léger sourire.

« Je ne suis pas sûr, pour les crackers.

— Mais est-ce que tu crois qu'il se passe *quelque chose* là-haut ?

— Je ne sais pas. Par moments, il m'arrive de l'espérer.

— Bon, et comment tu expliques tout ce qui se passe autour de toi ? demandai-je.

---

1. Le titre de ce chapitre, « Dig a hole, dig a hole in the meadow », est inspiré d'une chanson de Bill Monroe intitulée *Darling Corey*.

— Je ne ressens pas toujours le besoin d'expliquer tout ce qui se passe.

— Ok, mais je parle des trucs bizarres. On a pris cet auto-stoppeur l'autre jour, et il s'est avéré qu'en plus d'être un fou de Jésus, c'était un médium. Comment tu l'expliques ? Comment tu expliques qu'on se croise par hasard deux fois en une semaine ?

— C'est le destin ?

— D'un point de vue purement esthétique, je trouve qu'il se passe trop de trucs qui sortent de l'ordinaire pour invoquer le destin. Histoire que tu comprennes : ma vie s'est transformée en chef-d'œuvre. Maintenant, je n'ai qu'une envie, c'est de m'asseoir un peu en retrait avec des pop-corn et de l'observer à distance. Le destin est trop maladroit pour créer ça.

— T'as raison. Ça doit être la chance, alors. »

Je ne pus réprimer un sourire.

« Pourquoi tu veux tellement qu'il y ait un responsable ? demanda-t-il.

— Je ne sais pas.

— Si j'étais toi, je n'attribuerais ce crédit à personne. Je le revendiquerais. Je dirais : "Tout est de ma faute !" »

Ça, c'était une théorie intéressante !

« Je suis contente que tu dînes avec nous, dis-je. Ta grand-mère me fout les jetons.

— Ouais, elle est douée pour ça. »

Dans une certaine mesure, je crois qu'il était flagrant que Jack et moi nous aimions. De quelle étoffe cet amour était fait, cela restait à définir. Peut-être était-ce le genre d'amour qu'éprouvent deux Hongrois qui se rencontrent à Hawaii. Ou deux chirurgiens qui viennent de réussir une greffe du cœur. Ou Roméo et Juliette. Ou peut-être que ça n'avait aucune importance. Certainement, même. Ça n'avait pas de nom, probablement pas de but non plus. C'était un sentiment flou et ni lui ni moi n'y ferions jamais allusion. Je ne m'en souciais pas plus que ça, pour être honnête, mais il y avait quelque chose chez Jack qui justifiait chaque minute passée en sa compagnie. Rien ne le mettait jamais en difficulté : il prenait toutes les complexités que vous lui soumettiez et les réduisait à néant. Il montrait du doigt l'idiote en vous sans jamais pour autant vous traiter d'idiote. Avec lui, il était inutile de combler les silences et, à la fin d'une conversation, vous n'aviez pas l'impression que vous auriez mieux fait de ne pas dire telle ou telle chose.

Le temps qu'on rentre, le dîner était déjà servi. La cuisine dégageait autant de chaleur qu'un four. Les fenêtres étaient couvertes de vapeur et l'air chargé d'une odeur de fruit chaud emprisonné dans de la pâte à tarte. D'ailleurs, il y avait de quoi nourrir un régiment, sur cette table ! J'avais vraiment du mal à comprendre comment Lorna avait pu préparer ça toute seule. J'avais lu pas mal de trucs sur la vie saine que l'on menait dans les fermes américaines, mais pas une seule fois je n'y avais vraiment cru. La réalité n'avait toujours suscité que de l'écœurement chez moi. Il était étrange de se mouvoir dans un cliché en trois dimensions et d'avoir la preuve qu'une vie si saine et si équilibrée était possible. Même les couleurs de la pièce étaient saturées comme des bonbons. Je croyais que tout ça avait pris fin avec la Grande Dépression ! De parfaits étrangers en bleu de travail et en tablier nous invitant à dîner, nous offrant le gîte aussi long-temps que nous le souhaitions, c'était effrontément idéaliste. Au point de générer une sensation de malaise car, que je sache, la perfection dissimule tou-jours une ribambelle d'anomalies derrière ses fissures.

« Je suis bien contente que tu aies rencontré Jack dehors, dit Lorna en tirant une chaise vers moi. Je n'aurais pas aimé te savoir en train d'errer toute seule, la nuit, dans ce coin-là.

— Oh, le coin a l'air plutôt sûr », dis-je.

Elle me regarda assez intensément.

« Mais, ma chère, aucun lieu n'est sûr, après la tombée de la nuit ! Ça a été scientifiquement prouvé dans l'un de ces magazines très connus, je ne sais plus lequel.

— Ah… »

Lorna m'adressa un large sourire.

« C'est la vie, c'est comme ça. La race humaine est ainsi faite et on n'y peut rien.

— Tu ne peux pas laisser les gosses manger tran-quilles sans parler de la fin du monde ? protesta Elvin en secouant la tête.

— Je ne parle pas de la fin du monde, Elvin, je parle de bon sens. Plus personne ne fait preuve de bon sens aujourd'hui, surtout quand il s'agit de prudence.

— Et sinon, Duncan est médium, enchaîna Jethro. Il peut voir tout ce qui va arriver de mal super long-temps à l'avance. Pas vrai, Hester ?

— Oh, carrément. Duncan est médium, c'est vrai. »

Duncan rougit.

« Eh bien, disons que je suis simplement un peu

plus sensible à mon environnement que la plupart des gens.

— Oh, fit Lorna. C'est fascinant ! »

Je reportai mon attention sur le plat devant moi et me mis à manger, espérant que quelqu'un lance une nouvelle discussion à laquelle je ne pourrais pas participer. Quelque chose comme les licences de chasse, ou les tracteurs, ou la pêche à la mouche. N'importe quoi qui me permettrait de me concentrer sur les pommes de terre dans mon assiette. Nous n'avions pas fait un bon repas depuis des siècles, en tout cas c'est l'impression que j'avais. Sentir la vapeur d'aliments si parfaits et si colorés sur mon visage fit fondre tous mes soucis quant à l'amour, la haine et la fin du monde. Le silence s'installa à table et, l'espace d'un instant, la paix régna sur terre. On n'entendait que le tintement de l'argenterie contre la porcelaine et la musique en provenance du téléviseur dans un coin de la pièce. C'était la coupure pub et un cross-over accélérait avec enthousiasme sur des autoroutes désertes.

« Lorna, ce repas est époustouflant ! affirma Duncan dans un grognement qui n'avait pas tout à fait sa place à table.

— Tu es adorable ! dit-elle.

— C'est vrai. Aucun mot ne pourrait rendre justice au glaçage de ces pommes de terre, je le jure.

— Tu sais vraiment comment parler aux femmes. Elles doivent faire la queue à ta porte !

— Eh bien, je n'ai pas de porte, en fait.

— Tu n'as pas de porte ?

— Je suis en mission spéciale, on pourrait dire ça comme ça. J'explore mon pays. »

Je détachai brièvement les yeux de mon assiette et surpris Fenton en train de lever les siens au ciel. Je lui adressai un clin d'œil. Puis je remarquai que Jack nous avait vus et rougis d'un seul coup. Soudain je ne savais plus comment me servir de ma fourchette, boire une gorgée d'eau, avaler ou mâcher. Je sentais mes joues embraser mon visage et je ne pouvais rien y faire, à part rester assise là, à essayer de ravaler mon émoi qui, j'en avais bien conscience, était flagrant. Il me fallut beaucoup de volonté pour lever à nouveau les yeux de mon plat et le truc incroyable c'est que, lorsque j'y parvins enfin, je me trouvai face à ma propre photo de classe. Là, sur l'écran de télévision. C'était celle à propos de laquelle ma mère avait fait tout un foin parce que mes cheveux n'étaient pas plaqués sur ma tête avec du ciment.

La photo à l'écran laissa brutalement place à une journaliste à l'air solennel qui nous fixait. Elle prononça quelques mots à propos d'Hester Day, disparue depuis vendredi dernier, seize heures, et de son cousin, Jethro, dix ans, disparu avec elle. Ils diffusèrent aussi une photo de lui, en noir et blanc, les yeux à moitié fermés, avec sa raie bien centrée, comme le jour où je l'avais rencontré. Même sur cet étrange portrait en noir et blanc, il était évident qu'il représentait une espèce d'enfance en voie de disparition.

Aux bruits du dîner avait succédé un silence absolu. Tous les visages s'étaient changés en natures mortes. La fourchette me tomba des mains et percuta l'assiette, projetant au-dessus de la table un bloc de purée de carottes, qui s'écrasa sur les lunettes d'Elvin, glissa et atterrit sur ses genoux.

Puis ma mère apparut à l'écran, devant notre maison, avec Margaret et oncle Norman à ses côtés ; un peu en retrait, derrière eux, se tenaient mon père et Hannah. Ils tiraient tous des têtes d'enterrement. En les voyant, on avait presque envie de s'essuyer les yeux avec un mouchoir orné de dentelle.

« Ça a été un tel choc pour nous, disait ma mère. Je ne sais pas ce que nous avons fait de mal. »

Ses yeux étaient floutés de larmes et ses cheveux tenaient fixement sur sa tête, comme si elle avait un casque. Ses vêtements sortaient du pressing ; elle portait ses perles et son pin's du drapeau américain. Ma mère idolâtrait la télévision. Elle était probablement en train de chier d'extase dans son froc à cette seconde précise. Je ne pouvais pas m'empêcher de frémir à l'idée que quelqu'un puisse être à ce point prêt à tout pour un truc aussi incroyablement pathétique. Y a-t-il quoi que ce soit de plus déprimant, ou qui révèle une plus grande solitude, que de faire de la télévision nationale son idéal ?

« Eh bien, nous avons toujours su qu'Hester avait un problème, poursuivit ma mère, penchée sur le micro. Elle ne s'est pas développée normalement. Elle a toujours eu des difficultés d'adaptation, de fortes tendances à l'irrationalité et à la violence. Mais jamais nous n'avions imaginé qu'elle prendrait de la drogue dans notre dos. On est comme tous les parents : on ne voulait pas envisager l'hypothèse que notre propre fille puisse agir de cette façon. Pour nous, c'était le genre de chose qui n'arrivait que dans les films… Vu l'état dans lequel elle se trouve, c'était inévitable, bien sûr… Mais je crois que, pendant longtemps, nous

n'avons pas voulu y croire. On ne pouvait pas savoir…
que ça en arriverait là.»

Ma mère se remit à pleurer et la caméra glissa sur
Margaret, qui portait un short et une veste de chasse
ou de pêche, taillée dans un tissu bien robuste, vert
olive – le genre de veste que portent les gens sur
Discovery Channel, quand ils sont quelque part en
Alaska en train de pointer du doigt des loutres, des
lapins albinos ou je ne sais quoi du même genre.

«Madame Montgomery, votre fils a été kidnappé
par une proche parente. Comment vous sentez-vous?»

Margaret avait l'air hébété.

«C'est certainement mieux que s'il avait été kidnappé par un inconnu. Et, vous savez, je ne voudrais
pas tirer de conclusions hâtives. Je veux dire, nous ne
savons pas vraiment ce qui s'est passé. Tout ce que
nous savons, c'est qu'ils ont disparu.

— Êtes-vous optimiste?

— Oh, oui, je crois. Je n'ai jamais donné à Dieu
aucune raison de m'en vouloir. Et je suis sûre que, de
la même façon que vous êtes là, en face de moi, Jésus
est aux côtés de mon fils.»

Aucun de nous ne put s'empêcher de lancer un
regard en coin à Duncan assis à côté de Jethro.

Sur le plan suivant, la journaliste à la veste rose
était de retour. Elle demandait aux téléspectateurs,
s'ils avaient la moindre information concernant l'une
des personnes disparues, d'appeler le numéro en 800
qui apparaissait à l'écran. C'est vraiment curieux,
la télévision. Vous êtes là en train de regarder des
envoyés spéciaux vous raconter des kidnappings, des
meurtres, des incendies, des inondations ou des bom-

bardements et, la minute d'après, une femme bien soignée, en jogging, avec une queue-de-cheval, vous vante les mérites d'une nouvelle marque de déodorant. La télé vous projette hors du temps et de l'espace et fait de vous le citoyen d'une terre insolite. Or il me semblait difficile de faire plus insolite que l'endroit où nous avions tous atterri ce soir-là.

Quelle est la bonne réaction à avoir quand on vient tout juste d'être sacrée kidnappeuse par la télévision nationale ? Je n'étais pas sûre de le savoir. Je rendais aux autres leurs regards insistants, avec peu d'espoir de parvenir à mettre les choses au clair. Je savais pertinemment que les gens adulent tout ce qui jaillit de leur poste de télévision. Aucune bible ne vaut plus parole d'Évangile que le vingt heures. Quelle que soit la façon dont on envisageait les choses, j'étais plus ou moins foutue et puis c'est tout.

« Eh bien... », fit Lorna en fronçant lentement les sourcils.

Puis elle s'arrêta et regarda d'un air absent la nourriture éparpillée sur la table. Apparemment, personne ne se sentit en mesure de faire mieux que cette déclaration. C'est déjà assez désagréable d'être traitée de criminelle, mais si en plus personne ne réagit, comment fait-on pour se défendre ? Je sentis une léthargie profonde m'envahir. Ma paranoïa envers la vieille femme avait atteint son paroxysme et le seul geste qui me vint à l'esprit fut de hausser les épaules. Je voulais argumenter, mais je ne savais pas par où commencer.

« Bon, dis-je en me levant comme si j'étais sur le point de porter un toast, je suis désolée d'être la vedette d'un moment si aberrant. Ça n'avait rien à faire dans cette cuisine. Je suis désolée. »

Toujours aucune réponse. Alors je décidai d'ajouter quelque chose qui m'avait traversé l'esprit après coup.

« Et ça vaut ce que ça vaut, mais je n'ai jamais kidnappé personne. Je n'ai jamais pris de drogue non plus, tant que j'y pense. C'est peut-être vrai que j'ai des "difficultés d'adaptation". Je n'en sais rien. Je ne sais pas ce que ça veut dire, pour être honnête. J'imagine que j'ai pu avoir des difficultés à m'adapter aux cons, mais j'ai toujours pensé que c'était plutôt une bonne chose. »

Lorna fit soudain du bruit en empilant des assiettes vides, et un sourire qui paraissait un peu douloureux naquit sur son visage.

« Bon, qui veut un dessert ?

— Oh, non, je pense qu'on ferait mieux de reprendre la route, dis-je.

— Personne ne prend la route avant le petit déjeuner, qui que tu aies kidnappé », annonça-t-elle sévèrement.

Jack, je peux conduire[1]?

L'hospitalité de Lorna, c'était comme un train de marchandises. Il n'y avait aucun moyen de l'éviter, ça venait de nulle part et ça vous aplatissait comme une crêpe résignée. Je n'avais pas envie de rester et j'étais prête à parier que les autres non plus. Et pourtant, après une partie de Monopoly animée, nous nous retrouvâmes dans une chambre d'amis à la décoration très bleue. Assez bleue pour faire se dresser les cheveux sur la nuque de n'importe qui. Je suis convaincue que Lorna et Elvin auraient préféré se scier les bras plutôt que de nous laisser reprendre la route avec la tempête qui, selon le présentateur météo, allait dévaster le Kansas cette nuit-là. L'intention n'était pas mauvaise, j'imagine, mais d'une certaine façon j'éprouvais des doutes à ce sujet.

La bonne nouvelle, c'était que personne n'avait plus commenté le kidnapping. Enfin, je crois… En un sens, j'aurais peut-être préféré que quelqu'un pique une crise, pour pouvoir me raccrocher à quelque chose ;

---

1. Le titre de ce chapitre est inspiré de *Jack, Can I Ride*, une chanson enregistrée par Alan Lomax, folkloriste et collecteur de musique, dans l'album *The Deep River of Song : Alabama*.

sans aucune prise, je me sentais glisser et heurter le sol. J'aimerais pouvoir expliquer à quel point c'est étrange d'être assise dans une pièce décorée d'oies en porcelaine, quand toutes les trois minutes il vous revient en mémoire que, selon toute vraisemblance, vous êtes une droguée hors la loi qui a attiré un enfant à l'arrière d'un camping-car.

« Ces froufrous me donnent la nausée, dis-je en m'asseyant sur le lit, tandis que Fenton faisait le mort à côté de moi.

— …

— Tu comptes dire quelque chose ? demandai-je après un temps de silence.

— À propos des froufrous ?

— À propos de ce que tu veux. J'ai l'impression qu'on ne s'est pas disputés depuis terriblement long-temps.

— Hum…

— Peut-être que tu as des commentaires à faire sur un quelconque sujet d'information nationale… »

Il haussa les épaules.

« Je ne sais vraiment pas par où commencer.

— Sache que si tu ne commençais pas du tout, ça ne me dérangerait pas, hein. Mais ce serait mauvais pour ton système nerveux, je crois. Si tu ne dis rien, tu vas te constiper.

— Qu'est-ce que tu veux que je te dise ?

— Ce que tu veux. »

Il soupira, comme il en avait l'habitude à l'époque, à la bibliothèque, quand je m'asseyais à sa table sans y avoir été invitée.

« Hester, je pourrais passer des heures à t'expliquer

à quel point tu as été stupide d'embarquer un enfant à l'arrière de mon camping-car sans prévenir personne. En fait, je voulais te prendre à part tout à l'heure, et puis je me suis dit que non. Je savais que la réaction la plus absurde à avoir, c'était de continuer à jouer au Monopoly et à acheter le plus d'hôtels possible sur Park Avenue… Pourtant, c'est exactement ce que j'avais envie de faire.

— Pourquoi ?

— Parce que tu m'épuises, Hester. Chaque jour, tu me balances un nouveau truc sur les genoux : un gros cousin, un Jesus Freak et maintenant un crime… J'avais juste besoin de vacances. J'avais juste envie de jouer à ce putain de Monopoly et de rétamer Elvin. Est-ce que c'est trop demander ? »

Je réfléchis un moment.

« Merde, si j'avais su que le Monopoly te détendait à ce point, ça fait longtemps que je t'en aurais acheté un.

— Je ne plaisante pas.

— Ouais, je sais. Le truc marrant, c'est que je ne plaisante pas non plus. J'ai peur de tous ces gens aux quatre coins du pays, prêts à appeler ce numéro. »

Il grogna.

« Notre première nuit dans un vrai lit depuis deux semaines et tu veux parler ?

— Je fais une insomnie. Excuse-moi d'être un peu angoissée après être passée pour une ravisseuse d'enfant à la télévision nationale.

— C'est bon, on sait tous que tu serais incapable de kidnapper un triton, alors un enfant…

— Je peux kidnapper un enfant quand je veux, d'ailleurs je pourrais très bien kidnapper un triton aussi.

— Bon, je crois que nos opinions divergent à ce sujet. »

Je secouai la tête.

« Ça ne te ressemble pas de prendre les choses comme ça, en restant allongé, tu sais ? Comment peux-tu être aussi maniaque quand on ne s'assied pas comme il faut sur tes sièges et, lorsqu'un truc pareil se produit, avoir juste envie de dormir ? Tu ne devrais pas être en train de m'étrangler, là, ou je ne sais quoi ?

— Je m'occuperai de toi demain. »

Je levai les yeux au ciel.

« Oui, s'il te plaît, ce serait formidable.

— Je n'arrive pas à croire que tu viennes de prononcer le mot "formidable", dit-il.

— Bon, ben, je suis sûre que tu vas t'en remettre. »

Il n'y avait aucun intérêt à poursuivre cette conversation. Fenton était clairement plus mort que vif. Peut-être l'avais-je réellement épuisé à force de courber sa trajectoire de vie. Moi, en tout cas, je trouvais ça excessivement difficile d'essayer de faire comme si de rien n'était dans des circonstances pareilles. J'attrapai donc mon paquet de cigarettes et laissai dormir Jethro et Fenton.

À sa façon, la maison était immense et, en tant qu'étrangère, il m'était presque impossible de me rappeler comment atteindre la porte d'entrée dans le noir. Je trouvai mon chemin à tâtons jusqu'à l'escalier au bout du couloir. Tandis que je descendais, la main sur la rampe, une chanson de Bob Dylan me revint en mémoire :

> *Et c'est sur une montagne australienne*
> *que j'aimerais me trouver,*
> *Oh, c'est sur une montagne australienne*
> *que j'aimerais me trouver,*
> *Je n'ai aucune raison d'y aller, mais je crois bien*
> *que ça pourrait me changer* [1].

J'aurais donné un bras pour me trouver sur une montagne australienne à cette seconde précise.

« Où tu vas ? »

En me retournant, je vis Jack debout dans l'embrasure d'une porte, tout habillé, les yeux plissés dans le noir.

« Je cherche la porte d'entrée », murmurai-je en réponse, en levant ma cigarette.

Il ferma la porte derrière lui et me fit signe de le suivre.

C'est ainsi qu'on se retrouva assis devant la maison en plein cœur de la nuit et de l'hiver. Dans ce genre de situation, on se dit qu'il faudrait raconter des trucs futiles, mais comme il n'y avait ni coucher de soleil ni limonade à portée de main, il ne me parut pas déraisonnable d'ignorer cette règle.

« Je n'ai jamais pris de drogue, dis-je.

---

1. « And I wish I were on some Australian mountain range / Oh, I wish I were on some Australian mountain range / I got no reason to be there, but I imagine it would be some kind of change » est extrait d'une chanson de Bob Dylan intitulée *Outlaw Blues*.

— Moi non plus, répondit-il en haussant les épaules.

— Pour la simple et bonne raison que la seule pensée de me droguer m'ennuyait déjà. Je t'assure. Un total désintérêt : il n'y a pas de cause plus noble à mon abstinence. Me retrouver à végéter, quelque part en Floride, entourée d'un tas de gens en train de fumer de l'herbe et de se bourrer de pilules, de poudre, de liquide ou de je ne sais quelle autre substance *trop cool* et *trop à la mode*, ça me semblait aussi pitoyable que ça l'est probablement. Ce que je veux dire, c'est que les jeunes cherchent à se rebeller en permanence, et c'est une bonne chose, j'imagine, mais en quoi prendre de la drogue serait une rébellion ? C'est un truc que tout le monde fait. Y compris leur mère. Autant carrément m'étouffer avec des petits gâteaux et du thé ! Je suis sérieuse. Techniquement, comment peut-on se révolter en faisant un truc qui entre dans la norme ? Sans parler des parents, qui veulent absolument que leurs enfants soient avocats ou médecins et qu'ils épousent quelqu'un de riche. Je ne vois pas pourquoi l'un de ces prétendus extrêmes serait condamnable et pas l'autre. »

Je fis une courte pause pour prendre une nouvelle bouffée de cigarette, en balançant nerveusement mes jambes.

« Bref, poursuivis-je, ça ne m'intéressait pas du tout. La seule défonce que j'aie jamais recherchée, c'est de m'enfoncer jusqu'au cou dans des situations surréalistes. C'est tout. J'ai grandi dans l'ennui le plus total. J'avais envie d'autre chose. Mais vraiment d'autre chose, et certainement pas du faux n'importe quoi qui attire en Floride des millions d'ados tous les ans[1]. »

Je levai les yeux vers Jack.

« Je suis désolée, je parle de façon décousue comme si j'en étais à mon quatrième shot de vodka.

— C'est pas grave.

— Si, ça l'est. Nous étions d'accord tout à l'heure pour ne pas entrer dans tous les ennuyeux détails de notre vie…

— Ben, je ne m'attendais pas vraiment à ce que les ennuyeux détails de ta vie soient si captivants.

— Merci, dis-je en souriant un peu.

— Ce n'est pas pour te flatter, Hester, mais ton point de vue me paraît cohérent.

— Ah ouais ?

— Oui. »

Après un court silence, je demandai :

« Tu penses que je suis vraiment baisée, là ?

— Bon, pas au sens propre, mais au sens figuré, peut-être un petit peu. »

Je souris à nouveau.

« Je peux te poser une dernière question ?

— Une dernière, ok.

— Est-ce qu'il suffit à ma mère d'aller pleurer à la télé pour foutre en l'air tout ce que j'ai réussi à construire ?

— Probablement, répondit-il. Mais, encore une

---

1. Aux États-Unis, les étudiants disposent d'un congé au mois de mars, qu'ils appellent le « Spring Break » et dont ils profitent généralement pour aller faire la fête. La Floride devient alors une destination très prisée.

fois, je suis convaincu que tu peux aussi l'en empêcher.

— Je suis contente que tu en sois convaincu. Moi, je ne suis plus tellement sûre de rien.»

Je voyais bien qu'il n'avait pas envie de me répondre. Jack ne ménageait pas sa sympathie : il se serait foutu de votre gueule plutôt que de vous plaindre, et c'est pour ça que ça valait le coup de discuter avec lui. Parce que, accessoirement, j'avais toujours préféré être le bourreau plutôt que la victime. Nous continuâmes de fumer en silence pendant un moment ; autour de nous, la tempête balayait le sol de la propriété.

«Ne me regarde pas comme ça, dit-il soudain.

— Comment, comme ça ?

— Avec cette putain de mauvaise conscience tatouée sur le visage.

— Tu ne crois pas que j'ai de bonnes raisons d'avoir mauvaise conscience ?

— Tout le monde a de bonnes raisons d'avoir mauvaise conscience.

— Peut-être.

— Même si tu avais tué quelqu'un, ce regard ne te mènerait nulle part. Et de toute façon, tu n'as tué personne. Tu as juste kidnappé un gamin.»

Au cas où vous vous poseriez la question, il n'y avait pas besoin d'embrasser Jack pour se sentir incestueuse. Discuter de trucs qui ne s'approchent ni de près ni de loin du rivage du désir suffisait à me donner un léger sentiment de culpabilité. Inutile de préciser qu'il s'agissait d'inceste dans le bon sens du terme. Nous devions nous trouver là, assis, à parler de choses qui n'avaient pas beaucoup d'importance tout compte fait, depuis près d'une heure. Une heure pendant laquelle nous avons vécu toute une histoire d'amour, faite de petits riens. Nous nous sommes mariés, avons eu des enfants et avons vieilli ensemble, simplement en restant assis sur ces marches. Quand nos doigts fouillèrent finalement l'intérieur du paquet de cigarettes vide, il ne subsistait plus la moindre raison officielle de rester dans le froid. Alors, doucement et à contrecœur, nous nous levâmes, prêts à retourner à des vies ancrées dans le temps et dans la réalité.

« Tu ferais mieux d'aller réveiller ton ami et de partir ce soir », me conseilla Jack juste avant que nous ne rentrions.

Je le regardai, un peu surprise.

« Pourquoi ?

— Parce que la première chose que fera Lorna demain, c'est d'appeler la police. Elle est comme ça : gentille, mais paranoïaque. Elle te mitonne des petits plats le soir et elle appelle les flics le lendemain, histoire d'être en règle avec Jésus.

— Tu plaisantes ?

— Pas du tout. Je ne me serais pas levé en plein milieu de la nuit juste pour te charrier avec ça.

— Pourquoi tu ne me le dis que maintenant ? »

Il sourit.

« Parce que si je te l'avais dit plus tôt, nous n'aurions pas eu toute cette conversation. »

Je fermai les yeux une seconde, mais quand je les rouvris, Jack se tenait toujours debout devant moi, attendant patiemment que j'arrête de confier mon destin à la magie noire.

240

«Ben merde alors, dis-je.

— Ne t'inquiète pas. Tu n'as rien fait de très grave pour le moment. Dans quelques années, tu n'échange-ras tout ça contre rien au monde, fais-moi confiance.»

Fenton n'était pas tellement ravi d'avoir à quitter son lit en plein milieu de la nuit, mais il coopéra. Je m'attendais à pire. Il me vint à l'esprit que je m'atten-dais toujours au pire de la part de Fenton. Est-ce que ça le rendait plus inoffensif ou cela signifiait-il sim-plement que mon imagination s'emballait vite? Quant à Jethro, il était un peu sonné au début, mais quand je lui eus expliqué que Lorna et Elvin étaient des extraterrestres déguisés en humains et qu'ils avaient demandé à leur planète d'envoyer un vaisseau au petit matin pour nous enlever et nous faire subir des expé-riences médicales, il s'anima.

«Vraiment? demanda-t-il, surexcité.

— Ouais, faut qu'on parte tout de suite. Fenton est déjà en train de démarrer le camping-car.

— Et Duncan? s'inquiéta-t-il alors qu'on arrivait devant la porte.

— Tout ira bien. Lorna l'aime bien. Ils ne vont pas faire d'expériences sur lui.

— Comment tu le sais?

— Ben, il est médium, tu te souviens? Il serait au courant avant même que ça n'ait une chance d'arri-ver.»

Il faut avoir l'esprit vif avec les enfants. La plupart du temps, ils ont une dizaine de coups d'avance sur toi, comme aux échecs. Et même quand tu crois avoir pris leur roi, ils te regardent toujours du coin de l'œil.

« Allez, viens, chéri », dis-je.

En quittant la maison, j'éprouvais l'étrange sentiment de ne pas savoir comment mettre fin à une relation.

« Jethro, pourquoi tu ne courrais pas jusqu'au camping-car ? Je te rejoins dans une seconde. »

J'adorais la façon qu'avait Jethro de tout prendre au pied de la lettre. Il sauta les marches et se mit à courir dans le noir, nous laissant derrière, Jack et moi, avec quelques secondes à peine pour jouer cartes sur table.

« Eh bien, que dire ? Je suis désolée d'avoir foutu la merde dans ta ferme.

— "Foutre la merde dans la ferme", on dirait une expression.

— Ouais, c'est vrai.

— Désolé, dit-il. J'aimerais dire quelque chose de plus profond que ça, mais je ne sais pas quoi.

— Je préférerais qu'on fasse l'impasse là-dessus, moi aussi.

— Bon, laissons tomber, alors.

— Ok. »

Puisqu'on avait renoncé à l'obligation de donner du sens à nos adieux, il semblait presque insupportable de ne pas exprimer au moins nos sentiments et nos regrets.

« J'ai quand même l'impression d'avoir déposé un rat mort sur le pas de ta porte, poursuivis-je.

— Ne t'inquiète pas pour le rat mort.

— Et je veux vraiment que tu saches que je ne suis pas si chiante d'habitude. Le syndrome prémenstruel, ça n'a jamais été mon truc, mais là, on dirait que je me rattrape pour tous ces mois de saignements pacifiques. »

Je levai les yeux vers lui et me rendis compte que je n'avais pas besoin d'être si explicite. Bien qu'aucune règle ne s'appliquât plus à cet instant, semblait-il. On pouvait le laisser filer comme les dernières pages d'un mauvais roman d'amour écrit par une femme aux cheveux roses. On pouvait laisser filer ce moment avec panache.

« Bon, promets-moi juste que, si tu retombes un jour sur ma mère à la télé, tu regarderas ça comme un épisode des Monty Python.

— Ok.

— Et que tu prendras toujours mon parti et que tu te souviendras qu'elle est folle ?

— Tu as une adorable façon d'être paranoïaque, Hester.

— Merci. »

Il y a quelque chose d'excitant à s'entendre complimenter sur de nouveaux terrains.

« Tu ferais mieux d'y aller. Lorna se lève vers cinq heures et demie », dit-il.

Il prit ma main et la serra.

« Tu crois qu'on se reverra un jour ?

— Probablement.

— Ok. Salut, alors.

— Salut. »

Ce fut tout pour le cérémonial. Et c'était bien peu, en vérité. Nous aurions probablement dû dire un truc qui aurait fait imploser l'espace-temps. Mais la simplicité a quelque chose de confortable. Les émotions et l'éloquence peuvent être pénibles parfois et, finalement, elles ne font que masquer combien les choses sont simples en réalité. Je lui serrai la main et descendis les marches. Je m'essuyai rapidement les yeux en traversant l'obscurité pour gagner le camping-car. Plus de Jack, plus de Jésus, plus de Lorna ni d'Elvin ; la vie était réduite au strict minimum. Nous allions continuer exactement comme nous avions commencé : Fenton, Jethro et Hester.

Nous roulâmes cette nuit-là au son d'un énième programme de radio chrétien, qui nous abreuva d'hymnes et de conseils. Je parlai un peu avec Jethro des extraterrestres, avant que sa tête ne s'alourdisse et n'atterrisse, inerte, sur mon épaule. Fenton refusa de prendre part à la conversation. Quand il éprouvait de l'irritation, il aimait s'assurer que l'air autour de lui en soit chargé. Cela m'était égal, bien sûr. J'avais d'autres chats à fouetter.

Et je n'ai jamais vraiment cessé de souhaiter que Jack soit éternellement à mes côtés pour me rappeler à quel point les choses peuvent être simples. À quel point on s'obstine à emberlificoter nos attentes, dans la vie, de tout un tas de complications inutiles.

Et le soleil se coucha[1]

Nous nous réveillâmes le lendemain comme si nous avions passé une nuit bruyante dans un mauvais bar karaoké. Et plus le temps s'écoulait, plus je rassemblais des miettes de souvenirs qui ne cessaient de me rappeler combien j'étais conne.

Nous étions tous allongés sur le siège avant, tels des poissons vidés sur un étal de marché. Et c'était probablement aussi la sensation que nous avions. La tête de Fenton était écrasée contre sa vitre. Ses yeux étaient fermés comme si ça lui demandait un effort. Avec lui, il était toujours impossible de savoir à son expression s'il dormait ou s'il venait de décéder de mort violente. Les pieds de Jethro reposaient sur mes genoux et le reste de son corps était étendu de tout son long sur le siège. J'étais affalée contre l'autre vitre, la tête penchée sur la poitrine, mes cheveux pendouillant sur mon ventre.

Je me redressai doucement, consciente de chacun des os à l'intérieur de mon corps. Ma bouche était sèche et le sang battait dans le bleu autour de mon œil.

---

1. Le titre de ce chapitre, « Sun went down », est inspiré d'une chanson de T-Bone Walker intitulée *The Sun Went Down*.

Je regardai dehors, sans être sûre que ce soit toujours le matin ; il pouvait être midi passé, mais c'était difficile à dire. Le soleil luisait faiblement, dissimulé par des couches de nuages. Nous étions garés entre deux arbres nus à quelques centaines de mètres d'une route de campagne. Pas une maison en vue. Je me penchai vers Fenton et le tirai par la manche de son manteau. Ses yeux s'ouvrirent si vite que j'en tressaillis.

« Je t'en supplie, dis-moi que la soirée d'hier n'était qu'un cauchemar, fit-il.

— Oui, d'ac. Si tu me réponds la même chose. »

Cela signifiait très probablement que nous n'avions pas rêvé. Nous nous tûmes et retournâmes à nos vies respectives. Nos interactions étaient de plus en plus rares et brèves. Fenton tâtonna avec les clés avant que le camping-car ne reprenne vie dans une quinte de toux, et nous nous remîmes en route. Je n'avais qu'une envie : me tourner vers lui et le regarder. Mais je gardai les yeux rivés sur le pare-brise. Observer Fenton lorsqu'il était concentré avait été l'un de mes passe-temps favoris – juste pour le plaisir de voir ses yeux bouger et les traits de son visage se modeler au gré de ses pensées... Mais là, pour je ne sais quelle raison, il me semblait que ça m'était désormais interdit. Je l'avais entraîné dans mon propre pays des merveilles et les endroits qu'il m'avait fait traverser étaient bien plus nébuleux que ce que l'on pouvait attendre de n'importe quel pays des merveilles. J'avais été convaincue de le détester, j'avais été convaincue de l'aimer, j'avais même été convaincue qu'il me serait impossible d'éprouver pour lui autre chose que de l'indifférence.

«Mais où on va, en fait? demanda enfin Jethro après deux heures de silence.

— Je ne sais pas où on va, Jethro.»

Il avait l'air un peu énervé.

«On va pas réfléchir à un plan?

— Je pense qu'on devrait, répondis-je. Où va-t-on, Fenton? C'est quoi le plan?

— C'est à moi de le savoir? rétorqua-t-il.

— C'est toi qui conduis.

— Je roule sur la seule route en vue. Ça ne veut absolument rien dire.

— Ben, c'est ton camping-car, affirmai-je solennellement. Chaque fois que j'ouvre la bouche pour te proposer un itinéraire, j'ai l'impression que tu vas me balancer une grenade. Alors, cette fois, je ne voulais pas te tendre la perche.

— On ne peut pas dire que tu sois d'une grande aide quand il s'agit d'aller d'un point A à un point B, tu sais. J'avais un plan au début. Je ne peux pas élaborer des plans aussi vite que tu les fais dérailler.

— Alors excuse-moi d'avoir foutu ta vie en l'air et d'être la seule et unique responsable du merdier dans lequel on est. Mais je pense malgré tout qu'on devrait avoir un genre de plan.

— Mon plan, pour le moment, c'est de continuer à rouler sur la seule route dont on dispose. Si tu veux que je coupe à travers champs, tu me dis.»

Je lui lançai un regard noir.

«Ben, si tu comptes suivre cette route jusqu'à la fin des temps, tu devras me déposer quelque part en chemin.

— Tu me diras où.»

De toute évidence, nous étions tous les deux à court de mots, alors nous nous tûmes. Jethro croisa les bras et posa énergiquement ses pieds sur le tableau de bord.

« Est-ce qu'on peut bientôt s'arrêter prendre un café ? » demanda-t-il.

Puis un immense oiseau surgit de nulle part. J'imagine qu'il effectuait un vol de routine, perdu dans ses pensées, aux prises avec l'absurdité du monde, quand un puissant courant d'air l'aspira, le détourna de sa course et le projeta violemment contre un camping-car qui n'avait rien demandé. Soit ça, soit peut-être qu'il avait particulièrement envie de se suicider ce jour-là. Dans tous les cas, l'oiseau se retrouva soudain éparpillé partout sur le pare-brise. Je ne me souviens d'aucun bruit ; en fait, pour moi, l'espace de quelques secondes, il n'y eut plus aucun son à la surface de la terre. Les mains de Fenton glissèrent du volant, le camping-car fit une soudaine embardée sur la gauche et nous fonçâmes sur la file de voitures en sens inverse, sauf que, bien sûr, aucune voiture n'arrivait en sens inverse. La route s'étendait, désolée, au milieu des champs maussades du Kansas.

Fenton écrasa de toutes ses forces la pédale de frein alors que nous étions près de verser dans le fossé. Nous atterrîmes sur le tableau de bord ; l'oiseau glissa du pare-brise et un peu sur la gauche aussi.

« L'oiseau ! cria Jethro. Va voir s'il est vivant ! »

Jethro était le seul à toujours boucler sa ceinture. Il fut donc le premier sur pied.

« Chéri, dis-je, je pense qu'il est mort. »

Il escalada mes genoux et ouvrit la portière.

«Comment tu le sais ? »

Avant que j'aie pu répondre, il était hors de vue.

Le camping-car n'avait rien. L'oiseau était mort. Une petite coupure, qui avait teint en rouge quelques mèches de ses cheveux, se dessinait sur le front de Fenton. Mon avant-bras était bleu. Et Jethro était bouleversé par la mort de l'animal.

«Jethro, cet oiseau avait probablement une vie de merde et je suis sûre que maintenant, où qu'il soit, il s'amuse comme un petit fou.

— Tu peux pas savoir ça », répondit-il.

On regarda tous les deux l'oiseau martyr étendu, les yeux grands ouverts, sur le bord de la route.

«Non, bien sûr. Mais à le voir, je dirais qu'il a mené une existence plutôt honnête, ce qui signifie qu'il va probablement se retrouver au paradis et pas en enfer. »

Jethro essuya une larme et haussa les épaules.

«Si ça se trouve, ça n'existe même pas ces conneries !

— Personnellement, je crois qu'il va se réincarner.

— Comment ça ? En un nouvel oiseau ?

— Ouais, ou même en lynx peut-être. »

Il leva les yeux vers moi, surpris.

«En lynx ?

— Je pense qu'il peut se réincarner en n'importe quel animal de taille moyenne.

— Et s'il veut être un éléphant dans sa prochaine vie, il fait comment ? »

Essayer de remonter le moral d'un enfant après la mort d'un petit animal était beaucoup plus compliqué que prévu.

«Je ne suis pas spécialiste des règles de la réincarnation, pour être franche.»

On se gelait et le vent blanchissait mes doigts. Notre haleine dansait devant nous et j'essayais de toutes mes forces de ne pas me rappeler que des millions de gens partout dans le pays connaissaient mon nom, mon visage, ma ville natale, ma famille et mon passé de droguée à propos duquel moi-même j'ignorais tout. Et puis il y avait Jethro, avec ce stupide pull de Noël qu'on lui avait acheté à Clarksdale, ses cheveux noirs dans le vent, ses yeux immenses et dévastés fixant un petit tas de plumes à nos pieds. Cet oiseau devait forcément avoir quelque chose de spécial s'il pouvait faire pleurer un gamin pareil sur son sort.

«Tu sais, dis-je, je suis quasiment certaine qu'avec assez de volonté, il peut se réincarner en tout ce qu'il veut, éléphant compris.»

Jethro ne répondit pas mais je vis que ça l'avait un peu rassuré de savoir que la réincarnation de l'oiseau n'était pas limitée aux animaux de taille moyenne.

«C'est fini là, avec l'oiseau mort? demanda Fenton en arrivant derrière nous.

— On ne peut pas le laisser ici, dit Jethro.

— Il n'y a pas moyen que tu montes dans le camping-car avec ça.

— Pourquoi je voudrais monter dans le camping-car avec un oiseau mort? demanda Jethro.

— Parce que c'est ce que font les enfants. Ils ramènent des merdes dans les voitures.»

Jethro leva les yeux au ciel.

«Il faut l'enterrer. Là où il est tombé, exactement. Et il faut planter une croix aussi.

— On ne va enterrer aucun putain d'oiseau, dit Fenton en retournant vers le camping-car.

— Si ! dis-je d'un ton brusque. On va enterrer chaque putain d'oiseau qu'on écrase.

— Non.

— Si.

— Non.

— Si. »

D'un seul coup, nous avions atteint le climax de notre relation. Le soleil de midi avait surgi de nulle part et je pouvais humer la poussière chaude devant l'entrée du saloon, nonobstant le fait que nous nous trouvions dans le Kansas en plein hiver. Je pouvais sentir la curiosité malsaine des gens derrière leurs portes et leurs fenêtres, quand bien même nous étions les seuls êtres humains de ce côté de l'horizon. Quelque part dans un coin reculé de ma tête, je trouvais ça un peu dommage de devoir ce moment à un oiseau écrasé sur notre pare-brise.

« Est-ce que je peux te parler une seconde en privé, s'il te plaît ? demandai-je.

— Bien sûr. »

Derrière le camping-car, je fis volte-face pour affronter Fenton. Mais les mots jaillirent de ma bouche plus vite que prévu.

« On enterre l'oiseau, dis-je en serrant les poings. Et cette fois je ne vais pas te laisser mettre ton cul en travers de mon chemin. J'en ai marre de te demander la permission chaque fois que je veux ouvrir la bouche, faire une pause ou aller aux toilettes. Je n'arrive même plus à te regarder sans me sentir complètement paranoïaque. Quel genre de contrat j'ai signé quand je t'ai épousé, Fenton ?

— C'est aussi ce que j'aimerais savoir », répondit-il sèchement.

Cette fois, ni lui ni moi n'allions faire machine arrière avant que l'un de nous ne casse comme une brindille sèche.

« Bon, Fenton, on sait déjà que je peux nous mettre dans la merde jusqu'au cou et que c'est chronique, chez moi. Je porte la poisse, ok. Et alors ? C'est pas nouveau. Quand on a décidé de partir, on savait où on foutait les pieds, tu te souviens ? On savait que ce serait plus ou moins la panique générale. Et on avait une irrésistible envie de le faire, de toute évidence ! Sinon, on n'aurait jamais foutu le camp si joyeusement cette nuit-là. Et ce tout premier lendemain n'aurait jamais été aussi parfait. On n'en avait pas juste une terrible envie, on en avait *besoin*.

— Ça intéresse qui, tous ces trucs à la con ? Tu parles de *décision*, d'*irrésistible envie* et de *besoin*, mais si on s'en tient aux faits, tu as caché ton cousin à l'arrière du camping-car et maintenant on est obligés de s'évader de chez des braves fermiers à trois heures du matin.

— Et après ? Tu crois que l'avenir de tout le monde est bien écrit et rangé à la bonne place dans un tiroir ? Tu crois que j'avais la moindre idée que tu allais te mettre à me peloter sans prévenir comme ça, sur le siège avant ? »

Je l'avais probablement pris au dépourvu. Son visage blêmit, toute fureur s'en évanouit et, pendant quelques secondes, il se dégonfla. Évidemment, le

252

fait de l'avoir complètement décontenancé me décontenança moi-même, et aucun de nous ne trouva plus rien à ajouter. Nous restâmes parfaitement immobiles. Ma langue était soudain paralysée et lourde dans ma bouche.

«Le truc, reprit-il calmement, c'est que je vais remonter dans ce camping-car et m'en aller. Tu peux soit venir avec moi, soit enterrer l'oiseau. C'est comme tu veux.

— J'enterre l'oiseau.»

Au cas où vous ne l'auriez pas remarqué, l'oiseau était davantage qu'un simple oiseau, à ce stade. C'était un monstre de significations.

En s'éloignant, il ajouta:

«Bon, tu ne pourras pas me dire que je ne t'ai pas laissé le choix.

— J'espère que je n'en aurai jamais l'occasion», criai-je dans son dos.

Avant de démarrer, il jeta mon manteau et mon écharpe par la fenêtre, comme convenu. En les regardant tomber, je pris conscience que jamais je ne pourrais détester Fenton. Il était doté d'un réseau de règles morales invisibles à l'œil nu, mais qui existaient bel et bien.

Jethro, toujours debout sur le bord de la route, avec l'oiseau à ses pieds, se matérialisa derrière le camping-car qui s'éloignait. Il le regarda disparaître derrière un monticule de terre et se tourna vers moi, dans l'attente d'une explication. Le sens des choses inondait toujours ma conscience avec à peu près deux secondes et demie de retard.

«Viens, enterrons l'oiseau, dis-je.

— Il est parti où, Fenton ?

— T'inquiète pas pour lui. Il reviendra.

— Mais où il va ?

— Aucune idée. Il doit y avoir un lieu quelque part où les *drama queens* et les écrivains psychotiques déboulent chaque fois qu'ils ont besoin de faire une scène. »

Il me regarda, perplexe.

« Tu sais que vous êtes vraiment bizarres, tous les deux ?

— Ouais, dis-je en posant une main sur son épaule, je sais. »

Nous trouvâmes l'endroit adéquat pour un enterrement et nous mîmes au travail. Le sol était dur et creuser un trou pour un cadavre d'oiseau demandait plus d'efforts que je ne l'avais d'abord imaginé, surtout avec des morceaux de pierre pointus en guise de pelles.

« Je ne me marierai jamais, lança Jethro de but en blanc. Mais si ça m'arrive un jour, on ne se disputera que pour la nourriture ou pour les chaînes qu'on veut regarder, ma femme et moi.

— T'as raison, il n'y a pas de meilleures causes de dispute, à mon avis. »

Pile à cet instant, nous entendîmes le moteur d'une voiture bourdonner au loin. Ça ne venait pas de la direction dans laquelle Fenton était parti, mais de l'autre côté. Je me retournai et patientai jusqu'à ce qu'elle soit en vue. Mon cœur se mit à battre plus vite, pour je ne sais quelle raison. Peut-être pensais-je que c'était Lorna qui nous rattrapait. C'était la première fois de ma vie qu'une vieille dame me rendait aussi parano ! La voiture finit par apparaître et, quand elle fut assez proche de nous pour que je puisse distinguer sa forme et sa couleur, je crus m'évanouir sur le coup. Malheureusement, je ne le fis pas. La vie a l'art de suivre son cours sans t'anesthésier quand tu en as le plus besoin.

Gloire à Dieu !

Évidemment, c'était une voiture de police. Ça ne pouvait être qu'une voiture de police, à ce stade… Elle commença à ralentir, parce que deux gosses en plein milieu de nulle part, agenouillés sur le bord de la route, c'est une bonne raison pour que n'importe quelle voiture de police s'arrête. Jethro et moi la regardâmes s'immobiliser devant nous, sans expression. Mon cœur remonta dans ma gorge et se blottit dans ma bouche, en battant très fort.

«Hé ! Salut ! »

Il nous fit coucou par la fenêtre. Il était plutôt grand, pas gros mais avec un ventre de femme enceinte, juste ce qu'il faut pour que ses vêtements le boudinent. Il lui fallut un petit moment pour s'extraire de la voiture. C'était le genre d'officier de police qui approche à pas lents et prend le temps de réfléchir à ce qu'il pourrait dire de spirituel, même au milieu de nulle part.

«Salut», dis-je.

Il s'approcha et nous examina un instant.

«Qu'est-ce que vous faites ici, les enfants ? »

Il avait attendu si longtemps que je croyais qu'il ne demanderait jamais.

«On enterre juste un oiseau, répondis-je.

— Vous enterrez juste un oiseau, hein?

— Ouais.»

Il hocha la tête avec suspicion et j'eus exactement la même sensation que la dernière fois que je m'étais fait arrêter. Je crois que c'était pour ne pas avoir complètement freiné à un stop avant de tourner à droite. Ou alors parce que l'un de mes phares était cassé. En règle générale, je ne me fais arrêter que pour d'infimes infractions au code de la route. Si j'avais fait un truc vraiment dangereux, je doute sincèrement que les flics s'en seraient préoccupés. Et, après m'avoir verbalisée pour je ne sais quelle ligne blanche franchie, ils insistent toujours pour chercher de la drogue dans ma voiture. Toujours. On dirait presque qu'il existe une règle tacite du genre: plus l'infraction est légère, plus la fouille est longue.

Donc vous ne m'en voudrez pas si je vous dis que j'ai les nerfs à vif chaque fois que j'ai affaire à des officiers de police. Et le truc marrant, c'est que je les aime bien malgré tout. Ils dégagent quelque chose de doux et de naïf qui leur est propre et que j'ai toujours trouvé attachant. Ils sont là, à vous griffonner une amende pour excès de vitesse, et pendant ce temps vous voyez bien qu'ils s'imaginent être des agents infiltrés sur le point d'arrêter un dangereux trafiquant de drogue et alors ils braqueraient sur lui un de leurs stylos qui, en fait, se trouverait être un flingue. Si ça, c'est pas adorable...

«Nous n'avons pas tué l'oiseau», précisa Jethro.

Le flic leva les sourcils.

«Ça, c'est ce que vous dites, mais j'ai bien peur de devoir mener une enquête.»

Le visage de Jethro pâlit d'un coup.

«Je plaisante, dit le flic en lui tapotant le dos. Je ne m'inquiète pas trop pour l'oiseau. Ce qui m'inquiète, c'est de vous voir assis là comme ça, les enfants. Vous n'êtes pas perdus, si?

— Non, on est en ville, dis-je, espérant de toutes mes forces qu'il y ait une ville à proximité. On n'est pas d'ici. On ne fait que passer.»

Il hocha à nouveau la tête.

«Vous êtes en ville, hein?

— Ouais.

— Et comment êtes-vous arrivés jusqu'à cet oiseau mort?»

Je haussai les épaules.

«C'est un chouette coin pour faire des promenades, non?

— Ben, j'ai grandi ici, c'est pas à moi qu'il faut poser la question!

— Vous pouvez me croire sur parole, dans ce cas.»

Il regarda, à nos pieds, l'oiseau dans le trou.

«Mais il ne fait pas un peu froid pour de si longues promenades?»

Je haussai les épaules.

«Ça dépend si vous êtes frileux.»

C'était le genre de dialogue digne de figurer dans un roman à sensation des années 1940.

«Vous êtes ici avec vos parents?

— Ouais.

— Bon, je ferais mieux de vous ramener en ville, dit-il après un long moment, en retournant vers la voiture. Vous pouvez finir d'enterrer l'oiseau, il n'y a pas de problème.»

Je voulais argumenter avec lui, mais à quoi bon ? Il ne nous aurait jamais laissés là, sur le bord de la route.

« Ne t'inquiète pas, dis-je à Jethro.

— Pourquoi pas ? »

C'était une bonne question.

« Je n'en sais rien, mais ne t'inquiète pas. »

Nous prîmes donc place dans un véhicule de police du Midwest, alors que nous étions recherchés dans tout le pays. Visiblement, il n'y avait pas moyen d'éviter les présentations, alors je prétendis que nous nous appelions Miranda et Willard ; lui, c'était Hank. Nous nous entendions passablement bien tous les trois, surtout si l'on considère que nous étions en train de jouer à un jeu dangereux. Hank avait plein de choses à raconter. Miranda et Willard se contentaient principalement d'écouter. Il commença par parler de trucs généraux, comme l'Alaska ou l'attitude à adopter si un ours sauvage s'approchait de nous. Puis il dériva vers des sujets plus personnels, comme le fait que sa femme était à moitié cherokee. Jethro et moi étions très doués pour faire comme si de rien n'était et hocher la tête. Nous n'échangeâmes pas un seul regard et ne fîmes aucun faux pas. Au vu des circonstances, nous nous en sortions aussi bien que possible. Ça ne signifie absolument pas, évidemment, que nous étions détendus. J'étais sur le point de vomir. Je ne cessais de me demander pourquoi Hank n'avait pas capté qui nous étions et comment j'allais pouvoir me fabriquer une famille en ville, quelle que fût la ville où il nous emmenait, et puis soudain je m'inquiétai de savoir comment Fenton nous trouverait quand il ferait demi-tour pour venir nous chercher. Même si

Hank nous déposait quelque part sans demander à rencontrer nos parents, comment allions-nous réussir à quitter le Midwest ? Tout mon argent était resté dans le camping-car.

Quand on arriva enfin, il nous demanda dans quel hôtel nous étions. Je dis que je ne me souvenais pas du nom, mais que je le reconnaîtrais si on passait devant. La couche de glace commençait à se craqueler sous nos pieds. Je désignai le premier motel qu'on aperçut.

« C'est là ! »

Une enseigne indiquait *Flamingo Motel*, et ce n'est qu'après l'avoir montré du doigt que je m'aperçus qu'il aurait mieux valu attendre le prochain. Il avait l'air misérable et mélancolique, vous voyez le genre ; on aurait dit que toutes les femmes au foyer et les commerciaux en mission venaient ici consommer leur infidélité. J'étais mortifiée.

« Je peux me tromper, repris-je rapidement. Je pense que c'était celui d'après, en fait. »

Son regard me brûla le front à travers le rétroviseur central.

« Désolée, dis-je, je suis nulle pour me souvenir des endroits. »

Après une courte pause, la partie était finalement perdue.

« Miranda, dans quel genre de pétrin vous êtes fourrés, exactement, tous les deux ? »

Vous voyez cette sensation quand vous prenez un ascenseur et qu'il tombe ? Ou quand vous traversez une zone de turbulences dans un avion pour Las Vegas ? Ou quand vous ouvrez la porte de chez vous et que vous vous retrouvez face à deux agents du

FBI ? Voilà, c'était exactement ça. Mon cœur se mit à battre comme une grosse caisse et toutes mes pensées se désagrégèrent dans mon esprit comme de la barbe à papa.

« Comment ça ? » demandai-je.

Je sais. C'était probablement le pire truc à dire. L'ingénuité peut être préjudiciable lorsqu'on en fait mauvais usage. Mais Hank était patient.

« J'essaie de vous aider, pas de vous attirer des ennuis.

— Merci.

— Mais vous devez comprendre, les enfants, que je ne peux pas vous déposer devant un motel, alors que je sais que vous n'habitez pas dans un motel.

— Oui, je peux comprendre ça. »

Il continua de rouler. Aucune parole ne fut prononcée pendant quelques secondes, puis Hank jeta un coup d'œil à l'arrière.

« Je vais faire un marché avec vous, les enfants. Vous me dites la vérité et je vous tire de la galère dans laquelle vous vous trouvez, peu importe de quoi il s'agit.

— On n'est pas en galère, dis-je.

— Est-ce que ça a un rapport avec la drogue ?

— Non.

— Ok, écoutez, là-dehors, il y a beaucoup de gamins de votre âge qui prennent de la drogue. Et beaucoup tombent dedans malgré eux, c'est très courant. Mais il faut que vous sachiez qu'il y a toujours une issue et que plus tôt on en sort, mieux c'est.

— Bon, dis-je, si je me droguais, je me sentirais assez en confiance pour vous l'avouer. »

Je regardai par la fenêtre d'un air absent. Peut-être souhaitais-je remonter le temps jusqu'au bal de promo et être en train de danser avec George. Jamais la vie avec George n'en serait arrivée là. Si j'étais restée avec lui, je serais probablement au ski en ce moment même, dans le chalet de ses parents, en train de boire des cafés au lait, et on porterait des pulls en laine moches et on jouerait au Scrabble au coin du feu. Ou peut-être que je serais en train de me droguer pour de bon, avec lui. Et des années plus tard, quand il serait gouverneur de Floride, une bande de journalistes divulguerait notre jeunesse et tout le pays apprendrait ça dans la presse. Quoi qu'il en soit, on n'en serait jamais arrivés là.

Nous passâmes l'après-midi au commissariat de police, à boire dans des gobelets en polystyrène des chocolats chauds aussi artificiels que les sièges en faux cuir sur lesquels nous étions assis. Mais, en un sens, ça faisait du bien d'ingurgiter une boisson chimique, marronnasse et chaude, sous des néons blafards. C'était plaisant de ne plus se trouver sur le bord de la route, dans le froid, et d'être pris en charge si diligemment par un officier de police qui voulait absolument nous tirer de quelque chose. Mes nerfs s'étaient considérablement calmés. Peut-être parce que je savais que c'était fini, de toute façon, et que nous n'avions plus rien d'autre à faire maintenant qu'attendre. Y a-t-il meilleure façon de courir à sa perte qu'avec de la vapeur de chocolat sur le visage ?

Ça convenait aussi à Jethro. En fait, je crois même qu'il s'éclatait comme un petit fou, les yeux grands ouverts, les mains crispées sur son gobelet en polystyrène tandis que ses pensées faisaient la course avec les battements de son cœur.

« Qu'est-ce qui va se passer, maintenant ? chuchota-t-il en se penchant vers moi.

— Ils vont appeler nos parents.

— Et après ?

— Après, on rentre à la maison, Jethro.

— C'est tout ? »

Il avait l'air déçu.

« Je pense, oui.

— Ils vont pas nous arrêter ou quoi ?

— J'en doute.

— Il n'y aura même pas de procès ?

— Non. Peut-être juste une petite décapitation privée dans le jardin. Rien de grave.

— On va pas essayer de s'échapper ? On pourrait dire qu'on va aux toilettes et escalader la fenêtre…

— C'est vrai. »

Un sourire se dessina lentement sur mon visage et il me vint à l'esprit que tout ce qui était en train de se produire touchait peut-être à une forme de perfection. Peut-être que, contrairement à ce qu'on aurait pu croire, ces deux dernières semaines avaient été parfaites. Si on en retirait ne serait-ce que quelques minutes, l'expérience dans son ensemble aurait bien moins de sens. J'étais une fille, alors bien sûr que j'aurais aimé que Jethro reste accroché à mes basques pour toujours, et j'étais hantée par l'idée de conduire le camping-car au soleil couchant. Je n'avais peut-être pas nourri des fantasmes très ordinaires, mais je n'en étais pas moins une petite adolescente comme une autre, rêveuse et naïve. Ne savais-je pas que les couchers de soleil ne durent qu'un temps et que toutes les virées de deux semaines touchent à leur fin un jour ou l'autre ? Et, évidemment, cette fin ne pouvait advenir ailleurs que dans un commissariat du Kansas ! Elle n'aurait pas eu cette saveur incomparable, sinon.

Tout allait bien se passer. Peut-être pas pour moi, mais pour Jethro certainement, et c'est ce qui comptait. Honnêtement. Je ne veux pas jouer les saintes, mais je ne pouvais pas m'empêcher d'éprouver du plaisir à voir briller les yeux de Jethro, même si j'étais en train de vivre un cauchemar.

Hank vint s'asseoir à côté de nous. Il posa ses mains sur ses genoux et prit un air compatissant.

« Ta mère est au téléphone, Hester.

— Dites-lui que je suis occupée, répondis-je. Dites-lui que je me shoote à l'héroïne. Ça va lui plaire. »

À ma grande surprise, il se leva et retourna dans son bureau.

« Elle était vraiment rassurée de te savoir en sécurité, dit-il en revenant. Ils prennent le prochain vol.

— Génial.

— Ça va aller, dit-il. Les gamins passent leur temps à fuguer.

— Je sais que j'ai peut-être l'air d'avoir treize ans, mais il se trouve que j'en ai dix-huit. Je n'ai pas besoin de fuguer. J'ai légalement le droit de partir de chez moi si je me rends compte que ma famille retarde mon épanouissement personnel. »

Il posa sa main sur mon épaule.

« Pas avec ton cousin de dix ans.

— Eh ! Elle pourrait même pas kidnapper un triton, dit Jethro. Je suis venu de mon plein gré.

— Je pourrais tout à fait kidnapper un putain de triton ! Je n'arrive pas à croire que tu prennes le parti de Fenton. »

Dehors, le soleil se préparait à tirer sa révérence. De toute la journée, le vent n'avait pas cessé de souffler ; le ciel commençait à se déchirer et la pluie à changer en boue les routes de campagne. Le couperet ne pouvait pas mieux tomber.

« On pourrait trouver le compteur électrique, éteindre toutes les lumières et s'évader discrètement », murmura Jethro.

Noyée dans l'océan[1]

C'est incroyable comme ce pays est bien desservi ! Avec un réseau de milliards de lignes aériennes, on peut aller de n'importe quel bled vers n'importe quel autre bled en quelques heures tout en mangeant des cacahuètes à une altitude de dix mille mètres. Ça fait longtemps que les longues distances ont perdu leur romantisme. Voyager est devenu trop rapide et trop banal. Il n'y a pas moyen de s'échapper : à tout moment, n'importe qui peut te rattraper par la peau du cou. Je me suis souvent demandé comment les choses se seraient passées si ma famille avait été ralentie par la superficie de cet immense pays. Qui sait ? Peut-être cela aurait-il généré une tout autre chaîne d'événements. Mais le temps nous manquait. Déjà le soir même, un taxi s'arrêtait devant le commissariat.

Revoir la tête de ma mère était aussi agréable que de se faire écraser le pied par un train. Peut-être même un peu moins.

« Eh bien, j'espère que tu es contente, maintenant ! » furent ses premiers mots.

---

1. Le titre de ce chapitre, « Fell into the Ocean », est inspiré d'une chanson de Tom Waits intitulée *All the World Is Green*.

Elle se tenait à quelques pas de moi, en serrant fort son sac à main et un Kleenex.

«Je suis en extase, répondis-je.

— Évidemment, tu n'as pas la moindre idée de ce que nous avons traversé ces deux dernières semaines!

— J'en ai une bonne idée, dis-je. Je vous ai vus à la télé. Très émouvant, maman.»

Elle se détourna en s'écriant:

«Je ne peux pas supporter ça, pas maintenant! Je n'en ai pas la force! Après tout ce que tu nous as fait subir!»

En se retournant, elle pointa un doigt tremblant devant mon nez.

«Il y a vraiment quelque chose qui cloche chez toi, Hester.»

Après quoi, je me retrouvai dans un avion en direction de la Floride.

Il ne faut que peu de temps pour tout réduire en miettes. Un tremblement de terre ravage des villes entières en quelques secondes. Une seule balle peut détruire des organes et terrasser un spécimen d'être humain en parfaite santé quelques millisecondes plus tôt. Il suffit d'une bombe pour causer les mêmes dégâts à l'échelle d'une ville entière. Un incendie dévore une maison et rote un nuage de fumée avant même que les pompiers n'aient le temps d'intervenir. Renversez de l'eau sur un ordinateur et toute cette merveille de technologie est réduite à néant! Ça prend une éternité pour cultiver quelque chose qui vaille le coup dans la vie. Alors, pourquoi est-il si facile de tout démolir en un rien de temps?

Comment était-il possible que, le matin même, je

me sois réveillée la tête contre la vitre d'Arlene ? Maintenant, il était minuit et demi et déjà notre escapade dans le Midwest semblait appartenir à la mythologie. Je ne pouvais pas m'imaginer être un jour allée au Kansas, ce qui était étrange si l'on considère le fait que l'avion n'avait pas encore décollé. En même temps, je ne pouvais pas m'imaginer non plus avoir déjà vécu en Floride. Plus rien n'avait l'air réel. J'aurais pu tuer pour une cigarette. J'avais les mains qui tremblaient depuis près de trois heures.

Puisqu'il était inenvisageable de fumer dans l'avion, je décidai de boire. Je voulus commander de l'alcool pendant que ma mère était aux toilettes, mais on me demanda ma carte d'identité. Je n'avais clairement pas l'âge légal, pas de papiers sur moi, et encore moins de faux. Je me retrouvai donc assise là, en perdition, armée seulement d'un jus d'orange.

Je n'ai jamais été en prison pour avoir kidnappé Jethro. Oncle Norman et Margaret auraient pu porter plainte, mais ils s'y refusèrent et cette affaire ne prit jamais un tour juridique. Oncle Norman se fichait éperdument de tout et Margaret était trop croyante pour envoyer un membre de sa famille en prison. Elle était trop maternelle. Elle détestait voir les choses se gâter, se casser ou se déchirer. Les tragédies la faisaient vaciller facilement, mais elle était prête à remonter ses manches pour que le monde redevienne comme avant. Pour vous dire la vérité, je me sentais redevable envers elle, d'une certaine façon. Elle n'avait pas pleuré en revoyant Jethro. Elle l'avait enfoui dans ses bras avec l'air de quelqu'un qui vient de gagner au

Loto. Il était flagrant qu'il n'y avait pas de mauvaises intentions dans l'univers de Margaret Montgomery. Je n'avais aucun doute sur sa sincérité. Elle avait de grands yeux vides et la plupart des choses qu'elle disait manquaient leur cible d'au moins trente kilomètres, mais ses intentions étaient immaculées. Même l'eau de Javel n'aurait pas pu rendre sa conscience plus blanche. Quand ma mère se plaisait à prophétiser notre perte imminente, Margaret, elle, aimait prétendre que rien de mal n'allait nous arriver. Elle fut la seule à me laisser espérer que les ruines de la troisième guerre mondiale ne s'étendaient pas autour de nous.

« J'espère qu'ils réussiront à te remettre sur le droit chemin, chérie », dit-elle d'un air grave, alors que nous étions tous assis à l'aéroport, prêts à laisser retomber le rideau sur cet étrange acte.

Elle ne pensait pas à mal en disant ça, bien que ça m'ait piquée au vif. Je la regardai et ne répondis rien. On m'aurait donné un million de dollars que je n'aurais pas pu prononcer un seul mot. À ce moment précis, je me sentais désespérément vide.

Jethro, Margaret et oncle Norman prenaient un vol pour Miami. Leur avion décollait une demi-heure avant le nôtre et je fus soudain obligée de dire adieu à Jethro sous un éclairage au néon qui emportait dans son torrent toute forme d'intimité. L'instant était si désespéré et l'avenir sans lui si impensable que je n'arrivai même pas à lui serrer la main. Il y avait beaucoup à dire, bien sûr, mais rien qui pouvait l'être ici, de cette façon-là, et les seuls mots qu'il nous restait furent : « Au revoir. »

Alors que je me perdais dans la contemplation du plafond cette nuit-là, toutes mes pensées étaient aiguisées comme des rasoirs. Je me coupais en trébuchant dessus et ça faisait mal, mais je demeurais étendue sur mon lit, sans vie, les yeux ouverts et secs. Les cœurs brisés doivent exister en deux versions : mouillée et sèche. J'imagine que le sang coulait à grosses gouttes dans mon esprit, et même si de l'extérieur j'avais l'air indemne, à l'intérieur je devais être toute rouge.

Je compris qu'il n'y avait aucun sens à vivre la vie telle que je l'avais vécue avant de partir. À l'époque, je trouvais de bonnes raisons pour tout traiter comme un jeu, rire et me pourlécher les babines lorsqu'on m'insultait. Je pouvais me montrer cynique comme personne. Mes mots avaient le pouvoir de sculpter les expressions sur le visage des gens. Rien ne pouvait m'atteindre. Pour moi, la tragédie était comique et j'étais spectatrice de ma vie, assise au premier rang. Tous les accessoires étaient en carton, les nuages en papier mâché et le ciel peint à l'acrylique. Je m'amusais de me voir tâtonner sur scène. Je pouvais mettre ma main au feu et rigoler, parce qu'après tout les flammes n'étaient que du tissu orange.

Il était normal que je sois immunisée : je n'avais rien à perdre. Rien de ce que je possédais n'avait la moindre valeur à mes yeux, et si quelqu'un m'en avait privée, j'aurais haussé les épaules. Ce n'était pas réel, de toute façon.

J'aurais pu continuer ainsi toute ma vie. Mais non. Un jour, j'avais pris la route et la réalité m'avait aspirée. Ailleurs, le ciel était vraiment bleu : une couleur résultant de réactions chimiques dans l'atmosphère. Le vent était glaçant quand il soufflait sur les prairies. La religion avait une façon surnaturelle de planer sur les dimanches du Kentucky. Il ne s'agissait pas seulement d'une convention à respecter pour éviter que les voisins ne vous prennent pour des satanistes ; c'était quelque chose qui faisait tomber à genoux les habitants du coin et qui les rendait heureux. La nourriture coûtait de l'argent et les gens que l'on rencontrait n'étaient pas des acteurs ; ils disaient des choses réelles, attendaient de vraies réponses, et la façon qu'ils avaient de me regarder m'avait fait prendre conscience que j'étais peut-être réelle moi aussi. Ça ne me surprendrait pas que mes organes se soient mis à fonctionner pour la première fois. Que mon cœur se soit mis à pomper le sang pour la première fois, mes poumons à s'emplir d'oxygène pour la première fois et mon foie à se crisper, pour la première fois, en réaction à toutes les toxines que j'ingurgitais.

Mais, surtout, je n'avais pas imaginé que je me réveillerais chaque jour en éprouvant des émotions. L'extase n'était plus un mythe et, par conséquent, la possibilité de souffrir non plus. Je n'avais évidemment pas réalisé que chaque coup laisserait un bleu, désormais. N'ayant jamais été prudente, je n'avais tout simplement pas mesuré à quel point ma vie avait pris de la valeur au cours des deux dernières semaines. J'ignorais que chaque jour il serait de plus en plus difficile de me montrer indifférente et que bientôt ça deviendrait carrément impossible. Je crois qu'il existe une loi à ce sujet : « Tu ne comprendras pas la moindre chose avant qu'il ne soit trop tard. »

Maintenant que tout ça s'était volatilisé et que j'étais revenue au point de départ, j'admis que j'avais développé une addiction à la façon dont Jethro baragouinait des théories sur les extraterrestres de bon matin, le visage encore endormi. À la façon qu'avait Fenton de se mettre à rire parfois, sans pouvoir s'en empêcher, quand nos disputes prenaient une tournure trop bizarre. À la façon qu'avait Jesus Freak d'expliquer pourquoi il trimballait une croix à travers le pays comme s'il était en train de nous apprendre à nous servir d'un micro-ondes. À la façon dont Jack parvenait à me faire sourire en envisageant les catastrophes à venir. À l'odeur des matins quand on ouvrait la porte du camping-car dans un nouveau décor. Aux silences gênés devant des millions de machines à café à travers le Midwest. Aux assortiments de cacahuètes que bouffait Jesus Freak. Aux dessins de Jethro. Aux cahiers de Fenton.

Je faisais une crise de manque.

Évidemment. Je n'étais pas différente des autres êtres humains, en réalité. Une fois que je sus exactement ce que c'était que de posséder certains luxes, vivre sans me fit l'effet de me réveiller après une attaque nucléaire. Des rues mortes et des ruines d'immeubles bombardés à perte de vue… Et peu importe le temps qu'on passait à marcher, le vent ne cessait jamais de balayer les rues désertes et on ne croisait plus aucun être vivant.

Debout sous la pluie

La seule chose positive qu'on pouvait tirer de tout ça, c'est que je ne m'étais pas trop mal débrouillée pour ternir le nom de Day. Désormais, les gens nous dévisageaient. Quand on passe du côté des marginaux, le monde change radicalement : on se sent bizarre, quoi qu'on fasse. Je peux vous assurer que ça n'aurait pas été pire si je m'étais baladée dans la rue avec une hache sanglante à la main.

À côté de ma photo, le journal local avait publié une histoire fascinante qui décrivait comment, déséquilibrée chimiquement, j'étais tombée dans la drogue à quatorze ans et avais réussi à le cacher à mes parents pendant des années. Ils ne donnèrent aucun détail sur le genre de drogue que je prenais, ce que personnellement je trouvais dommage. À mon avis, ça aurait pimenté le truc. L'article n'hésitait pourtant pas à mentionner que j'étais également connue comme dealer occasionnelle. Apparemment j'avais attendu mes dix-huit ans pour épouser un SDF (Flaherty) et laver le cerveau de mon cousin de dix ans. Ils attribuaient mon mariage à une pulsion autodestructrice. Mais oui, bien sûr... Il y a des gens qui se shootent avec des seringues, d'autres qui se passent une corde

273

autour du cou, et puis il y a ceux qui épousent des SDF. Bref, l'histoire finissait bien : Hester et Jethro avaient rejoint leur famille. Jethro était rentré à Miami sans encombre et Hester suivait une thérapie de groupe pour adolescents en difficulté, le jeudi soir à la bibliothèque municipale. L'avenir était radieux.

Il n'y a pas longtemps, j'aurais trouvé fantastique cette histoire que la presse d'une petite ville m'avait collée à la peau. Je me serais promenée dans la rue, les cheveux brillant au soleil, en adressant des clins d'œil aux passants inquiets... Mais là, tout ce dont j'étais capable, c'était de rester assise sur mon lit à réfléchir, frémissant à la seule pensée du futur qui s'étalait devant moi.

« C'est pas tant que j'aie peur de ce que les gens pensent... Enfin, j'espère, putain, que j'en ai rien à foutre... Mais ils ne se contentent pas de penser, figure-toi. Ils sont capables de laisser tomber tout ce qu'ils sont en train de faire pour prendre le temps de te lyncher en place publique. Tout ce que je demande, c'est un peu de tranquillité. »

Je regardais la télé avec F dans le parc. C'était le seul endroit où je pouvais fumer en paix ces jours-ci, et en plus j'adorais discuter avec F de mes problèmes personnels, probablement parce qu'il n'avait jamais l'air de comprendre de quoi j'étais en train de parler. Il écoutait avec suffisamment d'énergie pour faire marcher une machine à vapeur, mais il ne saisissait jamais vraiment ce que je voulais dire. Ses réponses étaient merveilleusement à côté de la plaque et, pour je ne sais quelle raison, apaisantes. Nous pouvions mener une conversation cohérente sur deux sujets totalement différents et nous rejoindre quand même, et ça nous convenait parfaitement.

« T'es pas un peu jeune pour avoir envie de tranquillité ? demanda-t-il en louchant paresseusement vers moi.

— Tu crois quoi ? Qu'il y a un âge légal pour aspirer au calme ?

— Moi, je suis assez vieux pour ça, mais toi, je ne suis pas sûr. Tu devrais vouloir croquer des trucs à belles dents.

— Bon, je ne parle pas au nom de toute ma génération. Ce que je dis ne regarde que moi, hein... Mais je suis prête à prendre ma retraite.

— Hum...

— Parfois, je crois que j'aurais préféré que tante Margaret porte plainte. Ce serait cool que des barreaux me séparent de ma famille.

— Il y a des heures de visite en prison.

— Ouais, je sais, mais c'est mon côté romantique, ça. »

Nous interrompîmes notre dialogue quelques minutes pour regarder une publicité de bière.

« Et qu'est-ce qui est arrivé à ce gosse, là, qui avait déboulé ici pour te demander en mariage il y a quelques mois ? » lança F distraitement.

Je n'arrivais plus à penser à Fenton sans que ça prenne une tournure bizarre dans ma tête.

« On s'est perdus de vue dans le Kansas. Je n'ai pas la moindre idée d'où il se trouve.

— Bon sang, le Kansas ! Je n'ai jamais vu autant de fanatiques réunis au même endroit. Je ne voyage plus du tout, mais à l'époque j'ai un peu parcouru la *Bible Belt*[1] et je peux te dire que je ne pouvais même pas aller pisser sans être sur mes gardes ! C'est quoi tous ces putain de panneaux géants avec Jésus et tous ces trucs-là, qui surveillent tes moindres faits et gestes ? »

Mes pensées étaient en train de sombrer quelque part dans une mer de mélasse gluante. C'est parfois douloureux de sourire au mauvais moment, mais il y avait quelque chose d'agréable à défier la logique.

« Bon, je ferais mieux d'y aller. Je suis censée rejoindre un groupe de cas sociaux, là-haut, à la bibliothèque, et je suis déjà en retard.

— Qui peut avoir envie de rejoindre un groupe de cas sociaux ? demanda-t-il, perplexe.

— Je pense qu'il n'y en a que deux dans le lot qui sont là de leur plein gré, et de toute évidence ça ne tourne pas rond dans leur tête. »

C'était vrai. Il y avait cette fille obèse, Emily, qui s'était inscrite pour le plaisir de parler de ses problèmes de poids toutes les semaines et obliger un tas d'inconnus à rester assis des plombes jusqu'à ce qu'elle ait fini. Comme si la vie n'était pas déjà assez merdique ! Le second, c'était un gamin du nom de Bob. Bob s'ennuyait, tout simplement. Il adorait écouter des histoires vraies et complètement détraquées.

---

1. La « *Bible Belt* » désigne les anciens États sécessionnistes tels que l'Alabama, l'Arkansas, le Kentucky, la Louisiane, le Missouri, le Texas, etc. L'expression, qui signifie littéralement « ceinture de la Bible », est formée sur le même modèle que « *Sun Belt* » et « *Corn Belt* ».

«Tu es en retard, Hester, me fit remarquer madame Lyall.

Madame Lyall, fraîchement diplômée de psychologie, animait ces réunions. Elle devait avoir près de trente ans. Elle était assez moche, mais si elle faisait l'effort de porter une robe rouge et courte, je pouvais concevoir qu'elle puisse attirer l'attention des hommes. Elle avait le visage rond et cerné, mais elle était plutôt bien foutue, avec des lèvres joliment dessinées. Ses regards trahissaient une aigreur qu'on ne pouvait presque pas soupçonner autrement.

«J'ai bien peur que tu aies manqué beaucoup de choses, dit-elle en m'indiquant une chaise vide.

— Désolée. J'ai été témoin d'un accident de voiture et j'ai été obligée de faire du bouche-à-bouche le temps que l'ambulance arrive. »

Madame Lyall me regarda comme si elle n'avait pas dormi depuis une décennie.

«Hester, on est entre amis ici. On peut dire tout ce qu'on veut dans cette pièce, tant que c'est la vérité.

— Je sais.

— Ok ?

— Ok. »

Elle avait l'habitude de ponctuer les silences de «ok» aléatoires.

«On est là pour s'ouvrir les uns aux autres. C'est pour ça qu'on se réunit tous les jeudis. Pour se rendre compte qu'on n'est pas seuls, qu'on n'est pas jugés et qu'il y a des gens qui nous écoutent, nous comprennent et nous tendent la main. Ce qu'on veut, c'est se sentir plus léger en sortant d'ici, d'accord ? »

Un murmure d'approbation générale, concédé à contrecœur, emplit la pièce.

« Peter, tu étais en train de nous parler de cette fille qui te plaît. Pourquoi tu ne terminerais pas, maintenant que nous sommes au complet ? »

Peter avait l'air à l'agonie. Comme je le comprenais. C'était vraiment l'enfer de lui demander un truc pareil. Madame Lyall sourit d'un air las et joignit ses mains attentivement.

« Vas-y.

— Ben, finit-il par dire, le regard baissé sur la jambe droite de son pantalon, c'est juste qu'elle m'ignore.

— Tu lui as déjà adressé la parole ?

— Ouais, une seule fois. Je lui ai demandé si elle voulait sortir avec moi. Elle a rigolé, c'est tout. Elle était avec toutes ses amies et elle a rigolé. »

Madame Lyall l'encouragea d'un hochement de tête.

« Et qu'est-ce que tu as ressenti, Peter ?

— J'ai eu honte. C'était comme si plus rien ne valait le coup. La semaine dernière, j'ai pensé à me suicider. »

Je laissai échapper malgré moi un rire bref. C'était tout à fait déplacé, mais je ne l'avais pas fait exprès.

« Oui ? s'enquit madame Lyall en se tournant vers moi.

— Je suis désolée, dis-je.

— Y a-t-il quelque chose que tu souhaiterais partager avec Peter ? »

Peter avait à peine dix-sept ans. Son acné était en pleine floraison et les traits de son visage n'avaient pas fini de se préciser. Il me jeta un rapide coup d'œil, puis replongea sur son pantalon. On ne plaisante pas avec des gamins de cet âge-là. C'est à peu près la forme la plus fragile d'entité humaine qui soit. Dire quoi que ce soit à propos de leur nez ou d'une chanson qu'ils aiment revient à creuser un cratère sous leurs pieds.

« Je suis désolée, dis-je en tâchant de ne pas éclater de rire encore une fois, mais je ne vois vraiment pas en quoi je suis qualifiée pour ouvrir ma gueule.

— Je suis sûre que tu peux te sentir concernée par le problème de Peter, d'une façon ou d'une autre. On apprend tous les uns des autres. »

Je réfléchis une seconde.

« Bon, écoute, commençai-je, il y a un proverbe qui dit : "Si celle que tu aimes ne t'aime pas, aimes-en une autre." Tu devrais peut-être noter ça quelque part, Peter. »

Madame Lyall fronça les sourcils.

« En quoi cette citation s'applique-t-elle au cas de Peter, exactement ?

— Tout dépend comment Peter compte gérer ça. Personnellement, ça me paraît assez évident. Il croit que ce misérable tas de merde dont il est tombé amoureux donne du sens à sa vie et que, puisqu'elle se comporte mal, il ne lui reste plus qu'à se suicider. Ben je dirais qu'il est grand temps pour lui de s'intéresser à d'autres formes de vie qu'à de misérables tas de merde. Je ne sais pas si tu as remarqué, Peter, mais il y a une assez grande variété de filles là-dehors et il se trouve que certaines d'entre elles sont tout à fait respectables.

— Excuse-moi… (Emily s'immisça dans la conversation.) Je voudrais juste dire que ce n'est pas très bien de traiter quelqu'un que tu n'as jamais vu de "misérable tas de merde". C'est une expression vraiment forte.

— Et… ? Tu veux que j'emploie une expression plus faible ?

— Non, je dis juste que c'est irrespectueux envers cette fille. Tu ne sais pas ce qui se passe dans sa vie. Tu ne connais pas sa version de l'histoire. »

Je levai les yeux au ciel.

« Je suis juste en train d'avancer un point de vue, là, pas d'écrire une biographie. Mais si tu veux faire des recherches sur sa vie, vas-y !

— Tout ce que je dis, c'est que les gens ne devraient pas parler comme ça d'autres gens sans les connaître, continua Emily, imperturbable. Je me fais tout le temps insulter à cause de mon apparence et c'est vraiment blessant, tu vois. Les gens devraient se donner la peine d'apprendre à connaître les autres. Ce n'est pas ma faute si je suis comme ça, tu sais. Je suis née avec ces gènes-là et tout ce que je veux, c'est qu'on me donne les mêmes chances qu'aux autres.

— Qui parle de toi, là ? Est-ce que l'un d'entre nous t'a traitée de ballon dirigeable ? »

Il me semblait clair qu'Emily était une espèce vénéneuse de champignon, un truc qui ne pousse que dans certaines villes moyennes de Floride, dans le golfe du Mexique. Elle était assise là, heureuse comme une palourde, à se nourrir de notre misère et, quel que soit le sujet dont on parlait, elle surgissait d'un coin sombre et étalait ses problèmes de poids sur la table.

Elle ne se contentait pas de les étaler sur la table, elle les enfonçait dans la gorge de tout le monde jusqu'à ce qu'ils nous sortent par les oreilles, tout ça avec une voix innocente et plaintive et des yeux insipides, perdus dans l'océan qui lui servait de visage.

«Je ne fais qu'exprimer ce que je ressens, dit-elle. Et ce que je ressens, c'est que nous, les obèses, sommes toujours la cible des autres. On ne s'intéresse jamais à notre personnalité mais uniquement à notre apparence.

— C'est quoi ton problème? Tu penses vraiment que le monde entier tourne autour de ton physique?» demandai-je.

Elle avait l'air un peu perdue.

«Ben, je pense juste que…»

Je lui coupai la parole.

«Certains enfants se moquent d'autres enfants, et alors? C'est pas nouveau! Je ne sais pas sur quelle planète tu vis, mais ici, c'est la Terre: on a eu l'Inquisition, on a eu l'Holocauste… Je ne perdrais pas de temps à me demander pourquoi des gamins se moquent de moi, si j'étais toi. Je me demanderais plutôt pour quelle putain de raison je kiffe tellement ça. Si le fait de peser deux tonnes te posait vraiment problème, tu te serais inscrite à la gym, pas ici. Ton gros cul ne serait pas planté sur cette chaise en plastique. Il serait sur un tapis de course. Mais tu adores ça. Tu adores pouvoir t'asseoir là tous les jeudis et nous soûler avec tes histoires.

— Ok, merci, je pense que ça ira pour le moment, Hester», m'interrompit brusquement madame Lyall.

Elle était nerveuse. J'imagine que son diplôme

de psychologie n'était peut-être pas aussi résistant à l'épreuve des balles qu'elle l'avait cru. La respiration qu'elle prit fut accompagnée d'un petit frisson. Elle posa le bloc-notes sur ses genoux et chercha du regard dans toute la pièce de quoi changer de sujet.

«Russell, comment ça se passe avec ce problème de drogue, cette semaine?»

Et ça continua ainsi tout l'après-midi. Je jure devant Dieu que j'étais presque impatiente de revoir ma mère. Enfin, avant de me souvenir qu'elle était précisément la cause de ma présence ici. À l'heure où le jour décline, je me retrouvai dehors sur le parking, à tâtonner à la recherche d'une cigarette. Vous savez ce qui se passe quand on met une chaussette blanche en machine avec un tas de pulls verts? Eh bien, je me sentais un peu comme cette chaussette blanche: déteinte, découragée et élimée. Mes nerfs étaient à vif et chaque rafale de brise humide les éraflait violemment.

«Hester, c'est ça?»

Je levai les yeux et debout devant moi se tenait Ronald Peterson.

«On est de la même promo, poursuivit-il avec un large sourire qui menaçait de dépasser de son visage des deux côtés. Ronald Peterson, tu te souviens de moi?

— Ah oui, Ronald Peterson.

— Ils m'ont donné ton diplôme le jour de la remise.

— Ouais, je m'en suis doutée, dis-je d'un air absent. J'ai le tien. Et si tu veux mon avis, ce n'était pas une erreur, mais une bénédiction: ça a compensé toutes ces années de lycée pourries.

— Ouais, carrément, dit-il. Hum, j'ai lu des trucs sur toi dans le journal.

— Oh, je les ai lus aussi.

— C'est grave cool !

— Tu parles de ma dépendance à la drogue ou du kidnapping ?

— Allez, Hester ! Ça fait à peine six mois qu'on a quitté le lycée et t'as déjà réussi à passer à la télé nationale. Est-ce que tu réalises au moins à quel point c'est dément ? »

Ronald était l'un de ces gars dynamiques qui ont toujours l'air d'avoir un cerf dans leur viseur et d'être sur le point de le supprimer de la surface de la terre. Il engageait des conversations pour le seul plaisir de s'entendre parler. Franchement, j'aurais préféré discuter de mes talents de kidnappeuse avec un concombre, mais j'imagine qu'à défaut de concombre, il pouvait faire l'affaire.

« Dis, tu veux venir à une fête ce soir ? » proposa-t-il.

La voiture de ma mère s'arrêta devant nous juste à ce moment-là. Elle avait collé un énorme sticker « Yale » sur la vitre arrière. Aucune des personnes à qui nous étions ne serait-ce que vaguement apparentés n'était allée à Yale, mais je suppose que ça boostait sa confiance en elle, quand elle se garait en épi.

« Ouais, je veux bien venir », répondis-je.

Imbécile heureuse

Ma mère et moi n'avions pas grand-chose à nous dire. Non pas que nous ayons jamais vraiment beaucoup communiqué, mais depuis mon retour nos conversations prenaient des airs de théâtre d'avant-garde où il est strictement défendu que quoi que ce soit ait du sens. J'irais même jusqu'à dire que nous interagissions à un stade amibien.

« Eh bien ? demanda-t-elle, en virant brusquement à droite à la sortie du parking.

— Eh bien quoi ?

— Eh bien, comment c'était ? Est-ce que tu progresses ?

— Oui, bien sûr. »

Elle soupira.

« Hester, vraiment, je ne supporte plus ton attitude.

— Quelle attitude ? J'ai dit que je progressais, non ?

— C'est exactement de ça que je parle. Tu mens, et ça se voit.

— Bah ouais.

— Qu'est-ce que ça veut dire, "bah ouais" ?

— Maman, tu sais très bien qu'il y a certaines vérités que tu n'as pas envie d'entendre. On ne ferait que se disputer.»

Elle lança ses bras en l'air avec découragement.

«Oh Seigneur, c'est exactement ce que je disais ! Tu me traites comme une imbécile qui a besoin qu'on lui édulcore la réalité.

— J'essayais juste d'être polie.

— Polie, mon cul ! Plus personne dans cette famille ne me traite comme un être humain. Oh, et puis merde, je me demande pourquoi je prends encore la peine d'essayer…

— Bon Dieu, maman !

— Pourquoi est-ce que vous ne me foutez pas tout de suite dans une maison de retraite, histoire de vous débarrasser de moi ?»

Ma vie était devenue un drame psychologique sans fin.

«Ok, très bien, dis-je. Tu veux savoir si j'ai fait des progrès ? Ben non. J'aurais davantage progressé en m'accrochant à un palmier pour réciter la Constitution américaine à l'envers.»

Elle me jeta un rapide coup d'œil et se remit à fixer la route en silence.

«Oh, et tant qu'on y est, madame Lyall pense que j'ai des difficultés à maîtriser ma colère. Donc non seulement je ne fais pas de progrès, mais en plus je régresse.»

Ma mère avait l'air très placide soudain.

«Là, Hester, tu es juste en train d'essayer de démêler certaines choses. C'est normal. Tu n'iras nulle part si tu ne démêles pas certaines choses avant.

— Je ne démêle rien du tout. J'écoute une bande

de gamins se plaindre de leur vie de merde. Il y a des émissions de télé-réalité qui traitent déjà ces sujets-là en long, en large et en travers. Je ne vois pas pourquoi je dois me rendre à la bibliothèque toutes les semaines pour assister à ça en 3D.

— Parce que tu as besoin de cet échange avec les autres, Hester.

— Autant que d'une greffe de nez, peut-être.

— Chérie, allons, arrête de te conduire comme une enfant. C'est pour ton bien. J'essaie de t'aider à sortir d'une situation dans laquelle tu t'es fourrée toute seule. Et sache que tu as toujours de bonnes chances d'y arriver. Tu peux encore entrer à l'université. Avec un an de retard peut-être, mais ça reste possible.

— Cool.

— Si seulement tu pouvais expulser toute cette amertume et t'ouvrir au monde, tu serais surprise de voir où ça te mènerait. »

Je la regardai.

« Cette situation dans laquelle je me suis fourrée toute seule m'avait l'air plutôt confortable.

— Oh, enlever un enfant sans prévenir personne, c'est ça que tu appelles "confortable" ?

— C'est la meilleure chose que j'aie jamais faite. »

Je ne voyais pas ce que je gagnerais à éclaircir les choses davantage.

« Bon, eh bien dans ce cas, je te rappelle que nous avons un pacte, jeune fille, et nous allons nous y tenir. »

(Le pacte stipulait que si j'arrivais à me remettre dans le droit chemin et à entrer à l'université, je serais autorisée à revoir Jethro.)

«Ouais, je sais qu'on a un pacte, fais-moi confiance, j'ai pas oublié.»

Je haïssais tellement ma mère que j'en arrivais au point de ne plus la haïr du tout. Quel était l'intérêt? Autant m'asseoir par terre et haïr un mur de briques. Allais-je vraiment lui accorder autant d'importance? D'ailleurs, cela faisait affreusement longtemps que je ne m'étais pas concentrée sur quelque chose d'important. Mon apathie s'était tellement généralisée que j'étais même incapable de lever le petit doigt. Ma mère me déplaçait comme un pion. Je ne coopérais pas beaucoup, mais je n'avais pas non plus l'énergie de m'y opposer. J'avais mis tellement d'ardeur à trouver le moyen de m'évader de cette famille! C'était devenu tout un art de contrecarrer leurs médiocres petits plans et les rêves qu'ils nourrissaient dans leur coin à mon égard. Je devais probablement aimer inventer des stratégies pour esquiver leurs attaques. D'une manière assez vicieuse, j'avais dû en tirer du plaisir; cela me confortait dans l'idée que j'étais masochiste, de toute façon.

Mais désormais, l'existence de ma famille avait perdu toute forme de sens. J'avais probablement gagné en maturité et appris la triste vérité: les petits jeux qui m'amusaient avant cette traversée du Midwest étaient colossalement insipides. Peut-être est-ce pour cela que j'avais accepté l'invitation de Ron Peterson. Ronald Peterson, entre tous! Qu'est-ce qui me prenait? Je commençai à me demander si je ne souffrais pas réellement de troubles mentaux.

Je ne me souviens pas de grand-chose, sinon de m'être perdue dans une maison envahie de monde et de m'être dirigée droit vers une table à manger encombrée de bouteilles. Des bouteilles de toutes les couleurs et de toutes les formes imaginables. Je n'avais jamais spécialement aimé l'alcool. Mes papilles gustatives étaient en désaccord avec le reste de l'humanité : pour moi, le goût rappelait trop celui de l'alcool de pharmacie. Pourtant, cette nuit-là, j'eus l'impression de me trouver devant un étalage de bonbons et je me demandai pourquoi je n'avais pas pensé plus tôt à me bourrer la gueule. Je scrutai la table rapidement et me décidai pour de la vodka. Je me rappelle avoir rempli un gobelet en plastique blanc, puis m'être tournée et appuyée contre le rebord de la table pour observer mon environnement. Les pièces étaient sombres et meublées avec ce genre de canapés blancs et d'abat-jour que tous les riches qui vivent au bord de la mer croient indispensables à leur déco. Les vibrations de la musique, du hip-hop essentiellement, me parvenaient à travers les volutes de fumée. Il y avait une porte qui donnait sur un jardin avec une piscine. De la bière s'infiltrait déjà dans la moquette et un flamant rose en verre gisait, brisé, à côté de la cheminée. Il y avait des parents, quelque part, qui allaient vivre un retour de week-end en amoureux bien cliché !

J'emplis à nouveau le gobelet en plastique, en parlant de mon mariage avec un certain Bart.

« Ce n'est pas si mal, Bart, vraiment. Il suffit de trouver la perle rare, la seule personne que tu n'épouserais pas pour tout l'or du monde, et de te marier avec elle. Rien ne peut mal tourner parce que tu prends les choses à l'envers. Vous commencez par vous détester et ça ne peut pas empirer, ça ne peut que vachement s'améliorer.

— M'en fous, je compte pas me marier. Enfin, pas avant d'avoir au moins trente-cinq ans.

— Ouais, bon, personne ici n'essaie de te faire signer un contrat de mariage, tu peux respirer tranquille, mon pote. Je t'explique juste comment il faut faire quand tu te décideras.

— Si c'est si cool que ça, il est où ton mari ?

— Il n'est pas là et c'est ça qui est cool. On s'est perdus de vue, comme ça, c'est tout. Ça arrive tout le temps, ce genre de choses.

— T'es complètement à la masse.

— Tu peux parler !

— Hey, personne n'est au courant de ma vie, à moi. Alors que toi, dès que tu fais un truc, ça finit dans le journal.

— Du calme, je plaisante, Bart. Bon Dieu ! Cela dit, il y a des gens, comme Ron Peterson, qui pensent que c'est un exploit. »

Je suis sûre que la soirée est devenue bien plus intéressante après ça, mais je ne m'en souviens pas. Ce qui est triste, c'est que je me suis peut-être éclatée. Qui sait ? Peut-être tout cela a-t-il vraiment valu le coup et je n'en ai pas la moindre idée. Ça ne me surprendrait pas beaucoup… Je ne serais pas étonnée le moins du monde si la meilleure nuit de ma vie était une fête effacée de ma mémoire et remplacée par un trou noir.

Bref, je me suis réveillée le lendemain matin la tête dans les buissons de notre voisine. Accessoirement, j'ai aussi découvert ce jour-là que, de toutes les galères dans lesquelles on peut se fourrer, c'est la gueule de bois qui a le pouvoir de faire naître le plus d'idées suicidaires par minute. La douleur a une adorable façon de vous vider la tête de toutes ces conneries de remords et de les remplacer par un besoin urgent de la faire cesser, peu importe comment. Le truc chouette avec la gueule de bois, c'est qu'évidemment elle ne vous laisse plus assez d'énergie pour avoir honte. Sans ça, on ne pourrait probablement pas survivre à ce genre de journée. Je ne peux pas imaginer ce que ce serait de ressentir cette souffrance tout en étant pleinement conscient de l'humiliation qu'elle implique. Attention, je ne dis pas qu'on ne peut pas éprouver de la honte – c'est si facile de s'y adonner ! –, mais quand votre gueule de bois est telle que la mort semble une bénédiction, vous ne vous préoccupez pas tant que ça des détails.

« Oh, mon Dieu ! C'est toi, Hester ? Hester Day ? »

Je pris conscience de tout mon corps avec cette exclamation. Passer du néant absolu à la crâne possession de tout un corps humanoïde biodégradable en l'espace d'une seule seconde, ça fait vraiment bizarre. Après avoir frôlé la mort, la vie jaillit à l'intérieur de toi telle une tornade. Et ouvrir les yeux s'avéra être à peu près aussi difficile que le jour où, à peine sortie d'un utérus chaud, je les clignai sous les néons d'un plafond d'hôpital. Le soleil déversait sa lumière dans mes orbites brûlantes, comme si c'était du chlorure de sodium. Cela prit quelques secondes mais, finalement, la tête de madame Wilkinson émergea dans mon champ de vision surexposé. Madame Wilkinson était notre voisine de droite.

« Est-ce que… est-ce que ça va ? »

J'essayai de me retourner, mais il se trouve que j'étais un peu paralysée.

« Qu'est-ce qui ne va pas ? »

Elle prit un air inquiet en voyant que je ne répondais pas.

« Mon Dieu, qu'est-ce qui ne va pas ? »

On aurait dit qu'elle était sur le point d'avoir une attaque. Je fis donc l'effort de me relever d'un seul coup. Si vous saviez ce que j'aurais préféré tomber dans les buissons de notre autre voisin ! Il ne se serait pas formalisé du tout ; je ne le voyais quasiment jamais sans un verre de whisky à la main. Ma mère s'était disputée un nombre incalculable de fois avec lui à ce sujet ; elle lui reprochait de faire très explicitement de la pub pour l'alcool devant ses enfants.

« Je suis désolée pour vos plantes, madame Wilkinson, dis-je en vacillant.

— Qu'est-ce qui s'est passé ?

— Je me suis soûlée hier, de façon tout à fait impromptue, bien sûr, et je me suis réveillée ici. »

Elle me regarda, les yeux écarquillés.

« C'est du vomi ?

— Ouais, mais je ne m'inquiéterais pas trop à votre place. De toute façon, au pire, ça fera de l'engrais.

— Vous êtes sûre ?

— Bah, pourquoi pas ? »

À ce moment-là, je me tenais sur mes deux pieds. Madame Wilkinson et moi nous dévisageâmes encore un petit moment, puis je soupirai et m'essuyai le front.

« Bon, il faut que j'y aille, dis-je. Bonne journée à vous ! »

Mon corps me suppliait de mourir. Je pouvais sentir mes organes verdir à l'intérieur de moi et se ratatiner en de répugnants petits tas de viande. Je me souviens d'être restée là, dans l'allée, à me balancer d'un pied sur l'autre, en regardant fixement la façade de la maison. Qui sait combien de temps s'écoula ? Il me fallut peut-être au moins une heure rien que pour envisager l'angoisse que ce serait d'entrer là-dedans, de trébucher de pièce en pièce, d'esquiver les tirs croisés et le mépris ambiant. Ils voudraient savoir pourquoi j'étais soûle, ce que j'avais bu, avec combien d'hommes atteints de maladies sexuellement transmissibles j'avais couché, ce que j'avais injecté dans mes veines, etc. Qu'allais-je bien pouvoir dire ? De toute évidence, j'étais la dernière personne à avoir les réponses à ces questions.

Je me tins là assez longtemps pour que, finalement, mon père apparaisse sur le pas de la porte, avec ses vêtements du week-end.

« Coucou, dit-il en s'arrêtant devant moi, les yeux plissés par la lumière du soleil, son sac de golf à l'épaule. Tu as vraiment une tête de merde, chérie.

— Et c'est un peu comme ça que je me sens, d'ailleurs.

— Bon, quoi qu'il te soit arrivé, sache que ça ne m'intéresse pas. Un jour ou l'autre, il faudra bien que tu apprennes que tout acte a des conséquences. »

Je n'en avais rien à foutre, à ce moment précis.

« Oh, et encore une chose, Hester, ajouta-t-il après une pause. J'apprécierais que tu ne donnes pas à ta mère d'autres raisons de piquer une crise de nerfs. »

Je lui lançai le regard le plus noir que je parvins à focaliser à travers mes vapeurs d'alcool.

«Je ne plaisante pas, continua-t-il. Chaque fois, c'est sur moi que ça retombe.»

Bah, je veux bien croire que c'est chiant pour toi, et si jamais un jour je me mets à en avoir quelque chose à foutre, je te promets de te tenir aussitôt informé.

Ça, c'est ce que je pensais, mais je répondis:

«Je ferai ce que je peux.»

Je ne voyais pas vraiment en quoi mon père avait le droit de se plaindre de sa femme auprès de moi. C'était lui qui avait pris la décision de lui passer la bague au doigt. Personne ne lui avait mis un flingue sur la tempe, il avait agi de son plein gré. Et maintenant, nous étions tous censés compatir parce qu'il était obligé de se farcir des discussions avec elle toutes les nuits?

Je restai debout sur la pelouse devant l'entrée encore un moment après que sa voiture eut disparu dans l'allée, probablement parce que les marches du porche me semblaient aussi infranchissables que l'Himalaya. J'en grimpai une, chancelai un peu, puis tout se mit à virer au marron autour de moi. Le jour blanc javellisé commença à s'éroder. Le marron gagna de plus en plus de terrain dans mon champ de vision, jusqu'à ce que, enfin, tout devienne noir. Je crois m'être entendue tomber.

À mon réveil, l'après-midi était déjà bien avancé. J'étais allongée sur un lit d'hôpital et attachée à une perfusion qui se balançait quelque part au-dessus de ma tête. La chambre était très blanche et exiguë. Vide, à l'exception d'une photo de bateau et de ma sœur, assise à côté du lit, en train de lire un magazine. Elle tourna la tête et me lança un regard vide.

« Ils t'ont fait un lavage d'estomac », dit-elle sèchement.

Laisse pas tomber [1]

Ce fut une longue journée. Ma gueule de bois ne se dissipa que vers une heure du matin, et entre-temps, chaque heure apporta avec elle son lot de joies. Pour commencer, il y avait ma sœur qui ne voulait pas cesser de feuilleter des magazines à mon chevet, comme si elle mitraillait des troupes ennemies. Elle ponctuait son activité de commentaires au hasard et de questions qui perçaient des trous à chaque coin de ma tête brûlante.

« Au fait, qu'est-ce qui t'a pris de kidnapper Jethro ?

— Il m'a suivie de son plein gré. »

Et, quelques minutes plus tard :

« Je ne comprends pas comment tu as pu épouser ce SDF, Fenton.

— C'est pas grave.

— Est-ce que vous avez couché ensemble ?

— Oui. »

Le mensonge a quelque chose d'irrésistible, parfois. Je scrutais le liquide jaune stagnant dans une poche

---

1. Le titre de ce chapitre, « Don't You Let It Fall », est inspiré d'une chanson de Charlie Patton intitulée *Shake It and Break It But Don't Let It Fall Mama*.

en plastique suspendue au-dessus de ma tête tandis que, dans mon esprit, un vide infini se déroulait à perte de vue. Il n'y a pas grand-chose à dire quand on vient d'apprendre qu'on a subi un lavage gastrique. La chambre avait l'air assez immense en dépit de son étroitesse, nue et stérile.

« T'es pas censée être en Arizona ou quoi ? m'enquis-je finalement.

— C'est un week-end prolongé.

— Ah. »

Après quelques secondes durement gagnées, je me tournai vers elle.

« Et tu n'as rien de mieux à faire de ton week-end prolongé ? »

Elle avait l'air prête à m'écorcher vive.

« Tu crois sincèrement que je me suis portée volontaire pour rester ici ?

— Non. »

Mes yeux errèrent le long du cathéter jusqu'à ma main, où un pansement épais et carré dissimulait les détails gore : je ne voyais pas comment le liquide passait du tuyau à mon corps.

« C'est une aiguille, ça, dans ma main ?

— Elle fait au moins cinq centimètres de long. Je l'ai vue quand ils t'ont piquée. »

Je fermai les yeux et pris doucement quelques profondes inspirations. J'avais beaucoup de mal avec les aiguilles. La dernière chose que j'avais envie de savoir à ce moment-là, c'était la longueur précise de celle qui était plantée dans ma main.

« Et tout ça était parfaitement inutile, en plus, poursuivit Hannah. Le docteur a dit que c'est à cause de la déshydratation que tu t'es évanouie, mais maman a insisté pour qu'ils te fassent un lavage d'estomac quand même. Elle a dit que tu avais probablement mélangé drogue et alcool et que s'ils ne te lavaient pas l'estomac, elle porterait plainte contre eux.»

J'ouvris doucement les yeux.

«Bah, toutes les séries télé ont leur scène d'hôpital, j'imagine…

— Ce n'est pas drôle, Hester.

— C'est à moi que tu dis ça?»

Hannah posa son magazine et me regarda, réellement émue.

«Je te hais, Hester», dit-elle.

Elle aurait tout aussi bien pu m'annoncer qu'en réalité l'herbe était verte, ou que les poissons ne pouvaient pas vivre hors de l'eau.

«Je sais, répondis-je.

— Non, tu n'en sais rien. C'est pas juste un truc à la con entre sœurs. Je te hais vraiment.»

Je ne voyais toujours pas en quoi c'était une révélation.

«Non, crois-moi, je le sais.

— Écoute, dit-elle, j'en ai marre que tout tourne toujours autour de toi! J'ai une vie aussi. C'est un long week-end où je n'ai pas cours. C'est moi qui devrais me bourrer la gueule. C'est moi qui devrais me réveiller dans les buissons de la voisine, pas toi. Et au lieu de ça, je me retrouve assise ici, dans un putain d'hôpital, parce que tu n'en as jamais assez.

— Assez de quoi?

— De drames! Tu te complais là-dedans. Tu serais prête à tout, pour ça.»

J'inclinai la tête comme font les chiens quand ils s'imaginent que les êtres humains auront plus de sens pour eux s'ils les observent sous un autre angle. De drames ?

« De drames ?

— Tu ne peux clairement pas t'en passer.

— Attends. Attends une seconde. Tu es en train de dire que tout ça, c'est ce que je voulais ? Que j'avais envie d'être dans le journal, ou à l'hôpital avec une putain de seringue dans la main ?

— Oh, je t'en prie. Ça y est, tu as des scrupules ?

— Quoi ? »

Ça n'avait aucun sens. Je cherchais vraiment à comprendre mais aucune pièce ne s'emboîtait. Soudain, j'étais une *drama queen* en manque d'attention et ma sœur la victime silencieuse ? La pauvre petite fille qui passait toujours après moi ? Soit les infirmières avaient versé un truc dans le liquide qui s'écoulait goutte à goutte dans mon système sanguin, soit c'était dans le sang d'Hannah ces trucs circulaient. En tout cas, l'une de nous deux était folle à lier et j'aurais autant aimé que ce ne soit pas moi.

« Bon, écoute, fais-moi un avoir et on reprend cette discussion un autre jour, tu veux bien ? demandai-je. Je me sens mal.

— Mais qu'est-ce que j'en ai à foutre, que tu te sentes mal ! Je suis coincée ici à devoir te surveiller. Alors autant que tu saches quelle conne tu es. Tu n'as pas le droit de foutre ma vie en l'air, tout ça parce que tu te prends pour le centre du monde. Et je te préviens, Hester, il vaudrait mieux que ce soit la dernière fois, parce que, la prochaine fois, les choses ne se passeront pas comme ça… »

Elle s'arrêta là. Visiblement, elle avait oublié de prévoir des échantillons des conséquences à sa menace, ce qui nous laissa toutes les deux en suspens.

Je ne savais comment répondre à aucune de ses critiques. Un peu comme quand, dans un déménagement, tu dois descendre un piano par des escaliers trop étroits et que tu n'arrives même pas à décider par où attraper ce putain de truc. Pour dire la vérité, je n'avais pas pensé à ma sœur depuis si longtemps que sa soudaine présence à mes côtés semblait quelque peu irréelle et difficile à appréhender. Et le fait qu'elle ait l'air si contrariée parce que ce n'était pas elle qui s'était retrouvée bourrée, la tête dans un buisson, ne m'aidait pas franchement à comprendre la situation. Elle avait des problèmes de peau et le soleil qui filtrait à travers les persiennes éclairait un halo de frisottis sur sa tête. Me revint en mémoire toute la haine que je nourrissais laborieusement envers elle avant de quitter la maison ; ça me paraissait remonter à des années. Ses traits étaient lourds et il était flagrant que ses émotions lui rongeaient l'intestin, comme ça m'était arrivé à moi aussi si souvent.

« Toi et maman vous êtes tellement des emmerdeuses, murmura-t-elle en jetant son magazine et en en prenant un autre.

— Moi et maman ? hoquetai-je. Je suis désolée si ça te semble étrange, mais j'ai toujours pensé que c'étaient *toi* et maman les emmerdeuses.

— Ben non, ok ? C'est toi et maman. »

Silence gênant.

« Mais comment tu peux en être sûre, en fait ? demandai-je, perplexe.

— Va te faire foutre. C'est comme ça que j'en suis sûre.

— En quoi c'est une réponse, ça ? Je suis sérieuse. »

Elle me lança un regard étrange, peut-être parce qu'effectivement j'avais l'air alarmée d'apprendre que c'était moi, la *drama queen*.

« Tu sais ce que c'est, une emmerdeuse ? C'est quelqu'un qui fait chier. Quelqu'un qui fait mal au cul. Mal là. (Elle désigna son cul.) Voilà ce que tu es. Une emmerdeuse. »

J'avais envie de la clouer au mur avec un harpon, tellement elle rabaissait la conversation à son niveau d'attardée. Et pas seulement pour cette raison. Mais aussi parce que cette chieuse égocentrique représentait un gâchis d'espace et qu'elle devait probablement partager son unique neurone avec tous les crétins de la Création. Mais plus je la regardais, plus je me rendais compte que je n'étais même pas en train de chercher un harpon mais le désir de lui tirer dessus. Et ce désir n'existait plus.

Soudain, je sentis mes yeux se voiler, et quand je les clignai, deux grosses traînées de larmes roulèrent sur mes joues comme des vers. Elles étaient chaudes et j'avais honte jusqu'au tréfonds de mon estomac. Mais il n'y avait rien à faire. Les vers coulèrent sur mes joues, trempèrent les draps, et toute cette scène se déroula sans que j'aie mon mot à dire sur la question. Je ne pouvais qu'assister, impuissante, à la prise de pouvoir des émotions sur mon corps. Des émotions que jusqu'ici je ne connaissais que pour les avoir vues sur scène, dans des pièces de théâtre scolaires, sur-jouées par d'ambitieux comédiens afin de compenser leur morne vie sous le soleil de Floride.

« Qu'est-ce qu'il y a encore ? » demanda Hannah, visiblement ébranlée.

Elle faisait la même tête que si je m'étais changée en caribou. Je lui rendis son regard.

« Je n'en sais vraiment rien. »

Après quoi, nous partageâmes le silence le plus bizarre jamais partagé dans l'histoire des silences bizarres. Le magazine se froissa sous la pression de son pouce droit et les sons assourdis de l'hôpital me parvinrent à travers les murs. Je faisais semblant de m'intéresser à la photo de bateau, mais les larmes chaudes ne s'arrêtaient plus de couler et de tremper les draps. Quelque chose était à l'œuvre, là en profondeur, et il y avait de fortes chances pour que ça nous passe toutes les deux au-dessus de la tête et qu'on ne sache jamais à quel point cet instant avait été intense, en réalité. Nous avons bien tenté d'avoir une conversation, mais si décousue qu'à ce jour j'ignore encore de quoi nous avons parlé. Et pourtant, à l'époque, ça avait du sens.

Je levai les yeux et rencontrai ceux d'Hannah, toujours troublée.

« Quoi ? » fis-je.

Je m'efforçais de faire comme si de rien n'était, mais ce n'est pas très facile quand on a les yeux brillants, injectés de sang et qu'on est reliée à une poche qui se balance.

« Quoi, "quoi" ? demanda-t-elle. *Toi* quoi ? »

J'essayai d'essuyer les larmes sur mon visage.

«J'étais heureuse, dis-je. Il n'y avait que moi, Jethro, Jésus et le connard…»

Elle ouvrit grand la bouche.

«Tu parles du SDF, là?»

Je hochai la tête.

«C'est pas vraiment un SDF, dis-je.

— Peu importe. Je ne suis pas sûre d'avoir envie d'en parler…

— Il y avait toujours une nouvelle raison pour enjamber des clôtures et s'enfuir en plein milieu de la nuit, poursuivis-je malgré tout. Et je m'en sortais bien. Mieux que jamais. Et maintenant je suis là. Qu'est-ce que je fais encore là? Qu'est-ce que ça peut bien me foutre que tu me haïsses, si je ne peux pas te haïr, moi aussi?

— Heu, ok…

— De toute façon, Hannah, qu'est-ce que ça t'apporte? Tu n'en as pas marre de me détester si religieusement?»

Je levai les yeux vers elle dans l'espoir d'obtenir une réponse, mais elle n'avait rien à répliquer.

«Tu m'as probablement connue à un moment, mais tu ne me connais plus vraiment. J'ai d'autres choses en tête depuis quelque temps. Est-ce que tu as déjà eu l'impression d'être plus âgée et plus jeune en même temps? D'avoir à la fois soixante ans et quatre ans? C'est difficile à expliquer.»

Hannah me fixait.

«Ça devient chelou, là.

— À qui le dis-tu, fis-je en pressant mon avant-bras contre mes yeux. Je ne savais même pas que j'étais née avec un robinet.»

Hannah se leva. Elle avait l'air un peu secouée.

«Je vais aux toilettes.

— Ok.»

Je la regardai s'éloigner en me sentant incroyablement sobre. Avions-nous fait la paix? Je ne le saurais probablement jamais. Lorsqu'elle revint, elle se replongea dans son magazine et je fis semblant de dormir.

Les choses ne s'arrangèrent pas avec l'arrivée de mes parents.

«Tu aurais pu mourir!»

Ce que ma mère ne comprenait pas, c'est que n'importe qui pouvait mourir à n'importe quel moment. Il n'existait pas de vérité plus générale. Les avions peuvent s'écraser. Les médecins peuvent foirer une greffe de cœur. Les tentatives de suicide maladroites d'adolescents peuvent fonctionner. Je ne pris pas la peine de faire part de mes pensées à ma mère. Les mots étaient lourds comme du plomb et, quel que soit le sens du trafic, ils me faisaient mal en circulant dans mes entrailles sensibles. Je me contentai de regarder les lèvres de ma mère bouger et ses mains s'envoler à travers les airs, dans d'erratiques explications. Mon père restait à côté de la porte et consultait souvent sa montre. Le seul point que nous avions en commun, lui et moi, c'est que la plupart du temps nous aurions donné n'importe quoi pour être ailleurs.

«Est-ce que tu m'écoutes? demanda ma mère au bout d'un bon moment. Est-ce que tu as la moindre idée d'à quel point ça peut être dangereux de mélanger la drogue et l'alcool? On pourrait être en train de t'enterrer à cette seconde précise.

— Je doute que vous soyez en train de m'enterrer à cette seconde précise si j'étais morte il y a quelques heures à peine. »

J'avais dit ça à défaut d'autre chose.

« C'est tout toi, ça ! s'exclama-t-elle. Je parle de ta vie, là. Ta *vie*, Hester ! »

Voilà comment s'est déroulée la journée jusqu'à ce que la nuit tombe dehors et qu'ils me laissent seule. Les lumières dans les chambres étaient enfin éteintes, le bruit s'était tu et tout était noir. Je fermai les yeux et tentai de m'endormir ou d'attendre que ma tête devienne un tout petit peu moins lourde qu'un monument en fonte. La nausée et le tube enfoncé dans ma main ne m'incitaient pas vraiment au sommeil, mais le silence se fit hypnotique et mon corps était assez épuisé pour sombrer dans un puits sans fond. Quelque temps après, je filais à travers le Midwest à bord d'une voiture. Fenton était au volant et Jethro, assis à côté de lui, proposait qu'on aille en Espagne. J'occupais le siège passager, mes pieds sur le tableau de bord… J'avais passé tellement de temps dans cette position lorsque nous étions sur la route ! Les nuages nous dépassaient et on voyait se succéder les champs, le Mississippi, les Everglades, la mer des Caraïbes. Ne me demandez pas par où on passait pour aller en Espagne, mais c'était la route idéale. En fait, de toute ma vie, je ne me suis jamais autant amusée dans une voiture.

En me réveillant dans un décor sombre d'hôpital, je sentis mon esprit s'écraser, traverser le sol et atteindre le centre de la Terre. Le mal de tête s'était dissipé, mais jamais la solitude ne m'avait paru aussi dévastatrice. Pas même la première nuit de retour chez mes parents, quand la perte de tout ce qui comptait pour moi était encore fraîche et humide. Jusque-là, j'avais survécu grâce à l'espoir qu'avec le temps les choses auraient de moins en moins d'importance. N'y a-t-il pas une rumeur selon laquelle le temps guérit tous les maux ? Eh bien, soit cette rumeur est fausse, soit je n'avais pas la patience d'attendre assez longtemps, parce que maintenant que la douleur physique s'était calmée, je décidai de vivre avec une gueule de bois permanente si ça pouvait occuper mon esprit et m'empêcher d'avoir le mal du pays. J'appelais ça «mal du pays» probablement parce que j'avais trop peur du mot «amour».

Je repensais à la main de Jethro, posée sur une feuille de papier, en train de tracer des astronautes avec des noms tels que «Dan le Hardi» ou «le Griffon Noir». À tous ces matins passés à boire des cafés dans des restos sur le bord de la route. Aux stations-service. À des centaines de dessins. À des péquenauds de passage. À la philosophie. J'avais oublié à quel point Fenton et moi aimions couper les cheveux en quatre. Il est clair qu'avec nous une conversation pouvait se poursuivre bien au-delà de son point final.

Soudain, je mettais ma vie en perspective, comme si je la voyais sur un écran. Mieux que sur un écran : je la voyais en trois dimensions et chaque détail me sautait aux yeux. Le moindre petit défaut prenait des proportions ahurissantes.

Je m'assis sur le lit et décollai doucement le pansement de ma main. Je cherchai l'aiguille à tâtons, fermai fort les yeux et l'arrachai. Jusqu'à aujourd'hui, je crois qu'ôter cette aiguille est l'un des exploits les plus difficiles que j'aie accomplis. Libérée de la poche en plastique, je repoussai les couvertures et me mis à fouiller la pièce à la recherche de mes vêtements. Je n'avais aucun plan, mais une chose était sûre : il fallait que je sorte de cette chambre et je n'irais nulle part vêtue d'une blouse d'hôpital blanche. Je trouvai un pull et une jupe, pliés sur une chaise dans un coin, et je me débattis un peu pour les enfiler. Je m'essuyai frénétiquement le visage et tentai d'effacer toute trace visible de larmes, puis je poussai la porte prudemment.

J'arrivai dans un couloir aux murs vert pâle empestant l'alcool à 90 degrés. L'éclairage noyait tout dans une ambiance de seringues et de coton stérilisé. J'éprouvai une faiblesse dans les genoux en pensant que, derrière ces murs, des corps humains qui ne se doutaient de rien étaient traités comme de la viande sur l'étal d'une boucherie. Je longeai différents couloirs, pris l'ascenseur pour descendre quelques étages et, à en juger par le nombre de personnes que l'on poussait sur des brancards, je me retrouvai bientôt aux urgences. Je crois qu'à l'origine je cherchais la cantine. Un endroit où le café ne serait pas qu'un fantasme. Pendant ce temps, des gens sur des brancards me dépassaient, avec des bras baignant dans le sang, des disques de coton appliqués à la va-vite sur les yeux, ou des brûlures au troisième degré qui couvraient leur poitrine. Certains d'entre eux déliraient, d'autres hurlaient des mots auxquels les infirmières répondaient par un discours aseptisé. Les plus chanceux s'étaient évanouis depuis longtemps. Le spectacle m'intimidait un peu et je rasais les murs, telle une intruse. Plus loin dans le hall d'entrée, j'aperçus une petite salle d'attente avec de la moquette grise et de vieux sièges occupés par des invalides et des membres de leur famille aux traits tirés. Il y avait un distributeur automatique acculé dans un coin de la pièce et des magazines médicaux spécialisés sur une table. Je me demandai quelle personne saine d'esprit aurait envie de feuilleter un magazine médical spécialisé.

En poursuivant ma route, j'arrivai devant un autre ascenseur. J'appuyai sur le bouton et fixai intensément les portes en métal pour ne pas avoir à engager une conversation stérile avec la silhouette qui venait juste de se traîner derrière moi. Parler de la pluie et du beau temps avec des patients d'hôpital à trois heures du matin n'avait rien d'une perspective très agréable.

À l'intérieur de la cabine, nous nous pressâmes chacun dans un coin. Ce n'est qu'une fois les portes refermées que je lui jetai un coup d'œil rapide. Alors je découvris, dans un ralenti éblouissant, face à moi avec un bandage autour de la tête et l'air revêche d'une victime de guerre civile, Fenton Flaherty.

Mon estomac fut aspiré quelque part vers le pôle Sud. Toutes les certitudes que j'avais prudemment élaborées partirent en fumée et le sol se déroba soudain sous mes pieds. Autour de moi, il ne restait rien d'autre que l'espace intersidéral.

On n'en fait plus des comme toi

C'est aberrant de voir à quel point le temps qui passe ne change rien quand on lui résiste. Fenton se tenait sous les néons de l'ascenseur, identique au jour où l'on s'était disputés à propos de l'enterrement de l'oiseau. En réalité, je n'aurais pas été surprise de trouver sur sa peau des résidus de notre altercation. La lumière glissa sur son visage et noya ses cernes dans des flaques noires. Je ne pouvais pas vraiment distinguer ses yeux ni sa bouche parce que le milieu de sa figure était enveloppé dans des bandages et qu'il portait ce fameux chapeau en laine des Alpes suisses.

Nous nous retrouvâmes immobiles contre deux parois opposées, dans une sorte d'état de stupeur tranquille qui transformait les minutes en siècles, comme si l'on s'était mutuellement surpris, la main dans le sac, en train de signer un pacte avec le diable. L'ascenseur montait depuis bien plus longtemps que l'immeuble ne pouvait avoir d'étages. Et peu importait. La sérénité absolue de ce choc me préoccupait bien davantage que les lois de la physique. J'aurais aimé dire quelque chose, mais le mot par lequel commencer ma phrase ne faisait pas partie de la langue anglaise, ni d'aucune autre langue d'ailleurs. J'aurais aimé ressentir quelque chose, mais toute émotion encourait le ridicule. De l'extérieur, on aurait pu penser que cette rencontre nous laissait indifférents.

L'ascenseur s'arrêta brutalement au troisième étage. On ne bougea ni l'un ni l'autre. Les portes s'ouvrirent pour révéler un long couloir vide, puis se fermèrent à nouveau.

« Hester, qu'est-ce que tu fous là ? »

À la façon dont Fenton posa cette question, on aurait dit que je venais de m'introduire dans sa maison pendant qu'il prenait un bain et que nous ne nous étions jamais vus auparavant. Ça me mit à l'aise tout de suite.

« Je me suis bourré la gueule.

— Tu t'es fait hospitaliser pour une gueule de bois ? Personne ne fait ça !

— Crois-moi, ce n'était pas mon idée. J'aurais préféré rester dans les buissons dans lesquels je me suis réveillée.

— Quels buissons ?

— Ceux de la voisine. Je ne sais pas comment j'ai atterri là, d'ailleurs.

— Je croyais que tu n'aimais pas l'alcool.

— C'est vrai.

— Alors pourquoi tu te comportes comme un membre de je ne sais quelle putain de fraternité universitaire ?

— C'est une longue histoire.

— Mais encore ?

— Sautons ce chapitre, d'accord ? Ce n'est pas très intéressant.

— Tu as raison. Je ne veux même pas savoir, j'imagine. »

Nous nous fîmes baisser les yeux mutuellement.

« Et c'est quoi, ton excuse à toi, pour être là ?

— Mon nez s'est cassé.

— Tout seul ?

— Avec un petit coup de main de Jésus. J'essayais de récupérer des manuscrits à l'arrière du camping-car et sa croix m'est tombée dessus.

— T'es pas censé être dans le Kansas ? demandai-je.

— Pourquoi je serais dans le Kansas ?

— Je ne sais pas. Pourquoi tu serais revenu ?

— Il n'y a aucun endroit où je devrais être ou ne pas être », dit-il.

Je pressai le bouton du rez-de-chaussée.

« Avant, pour moi, tu n'étais qu'un crétin intellectuel, hyperprétentieux, qui écrivait des haïkus sur des feuilles volantes, un genre de hipster qui avait raté le train dans les années 1960, toujours à parler de son roman en cours, dis-je en m'appuyant contre le mur à côté de lui. Mais bon, c'était la Floride et c'était l'été, et on ne peut pas dire qu'il y avait beaucoup d'autres apprentis beatniks nichés à la bibliothèque. Me disputer avec toi à propos de tout et de rien, c'était clairement mille fois plus intéressant que n'importe quel autre truc que j'aurais pu faire.

— Est-ce que tu essaies de m'amadouer ? demanda Fenton.

— Au contraire, je fais tout mon possible pour ne pas t'amadouer, là.

— Et il y a une raison particulière à ça ? »

Je pris une profonde inspiration.

« Je suis contente de te voir, Fenton. »

À l'origine, j'avais l'intention de le regarder droit dans les yeux en disant ça, mais je n'ai pas pu. Ce n'était pas facile, les gars. Et ma voix sonnait affreusement bizarre aussi.

« Je n'en ai rien à foutre de *pourquoi* t'es revenu, en fait, continuai-je. Même si t'étais revenu pour acheter une tondeuse à gazon, je m'en fous. Je suis tellement contente de te voir, putain, que je crois que j'ai un problème. Et j'ai bien peur qu'il n'y ait pas de bonne manière de le formuler. »

Il ne disait toujours rien. Je commençais à croire que je l'avais terriblement embarrassé ou que je venais de me ridiculiser. Alors je repris une vieille habitude qui ne m'avait pas quittée depuis la maternelle : je fermai les yeux. C'est une technique d'autodéfense parfaitement inutile quand la terre tremble sous vos pieds.

Puis je sentis sa main dans mes cheveux.

« Tu enfreins la loi anti-mouvement aléatoire », dis-je.

Épilogue
(C'est la vie…)

« Allô, maman ? »

Je tenais le combiné d'une cabine téléphonique à la main sous les lumières glauques d'une station-service. Fenton était en train de faire le plein d'essence.

« Oui ? »

La voix de ma mère résonnait comme une corde tendue.

« C'est Hester. »

Sa voix se brisa. L'hystérie suintait à travers les fêlures.

« Hester, où tu es ? D'où tu m'appelles ? Pourquoi tu n'es pas couchée ? Quelle heure est-il ?

— À peu près quatre heures et demie du matin.

— Mais où es-tu, mon Dieu ?

— Dans une station-service. »

Profonde inspiration. Je pouvais voir ses lèvres se crisper et ses pensées s'élancer au grand galop pour trouver quelque chose à dire. Enfin, sa voix se fit entendre de nouveau.

« Ça a intérêt à être une blague de très mauvais goût, jeune fille.

— Non, dis-je. Je voulais juste t'appeler pour

te prévenir que je n'étais plus à l'hôpital. Ça te fera économiser un trajet en voiture ce matin, et puis je me suis dit que j'allais dire au revoir, cette fois.

— Cette fois ? De quoi tu parles ? Pourquoi tu as quitté l'hôpital ?

— Pourquoi ? (Je souris malgré moi.) Allons, maman… »

Ma voix dérailla et je ne pris pas la peine de terminer ma phrase. Le silence de l'autre côté avait plus de sens que n'importe lequel de nos dialogues à ce jour. C'était presque un silence majestueux. Comme s'il était inutile de poursuivre parce que tout avait déjà été dit, dans les règles de l'art, avec la meilleure volonté du monde. Très franchement, j'en eus les cheveux qui se dressèrent sur la tête. Toutes ces années à tourner en rond n'avaient jamais accompli ce qui venait de l'être par une moitié de phrase. Une amputée. Et il y avait ma mère, à l'autre bout de la ligne, qui voyait clair en moi. Elle savait déjà tout ce que je comptais dire ou ne pas dire.

« Où es-tu, Hester ? » demanda-t-elle.

Je pouvais l'entendre avaler sa salive sèchement, avec horreur.

« Dans une station-service.

— Hester, où es-tu ? Quelle station-service ? Je viens te chercher.

— On sait toutes les deux que tu ne me verras plus jamais. »

Je l'avais dit honnêtement. J'y avais mis toute la grâce que je n'avais jamais eue. Pas d'humour, pas de sarcasme, pas de nuance, juste un fait brut, présenté avec tout l'amour dont j'étais capable. C'était la chose la plus cool que j'aie jamais dite à un parent.

La machinerie maternelle craqua sous la pression. De la fumée commença à apparaître entre les rouages.

«Je viens te chercher tout de suite, Hester, bégaya-t-elle. Je ne plaisante pas. Je ne vais pas entrer dans ton petit jeu.

— Peu importe, dis-je. Je ne pense pas que ce soit une bonne idée, de toute façon, que tu joues à ça avec moi.

— Arrête !

— Tu sais très bien que je ne fais rien.

— Ah non ? Alors pourquoi tu m'appelles ? C'est ton nouveau plan pour venir à bout du peu de nerfs qui me reste ? Tu auras ma peau, Hester, tu vas me tuer un de ces jours !

— Je ne suis pas venimeuse, maman.

— Est-ce que tu te rends compte que tu traînes le nom de la famille dans la boue, chaque fois que tu fais un truc pareil ?

— Ne t'inquiète pas pour ce nom, j'en porte un autre maintenant, tu te souviens ? Il était vendu avec le contrat de mariage.»

Elle était dans une impasse. J'étais presque déjà partie – il nous restait peut-être encore quelques phrases tout au plus – et elle ne pouvait rien y faire.

«Hester, maintenant écoute-moi : je veux que tu trouves où tu es exactement. Il doit y avoir des panneaux sur la route. Dis-moi où tu es, demande au caissier de la station !

— Oui, bien sûr, je pourrais demander au caissier, mais ce n'est pas pour ça que j'ai appelé.

— Bon, alors j'imagine que je vais devoir faire tracer cet appel. »

Je haussai les épaules.

« Ben c'est à toi de voir, mais il y a peu de chances qu'on t'attende ici. Et même si nos chemins se recroisent un jour, alors quoi ? Qu'est-ce que tu penses pouvoir faire ? Je n'ai kidnappé personne cette fois. »

Elle ne répliqua pas, alors autant continuer…

« Ça n'a rien de personnel, maman. Absolument rien. On ne vient pas de la même planète, c'est tout. Et on ne devrait pas faire semblant. La génétique nous a liées, mais on n'est pas obligées d'accepter ça. Ça ne sert à rien de se pointer moralement du doigt, tu ne comprends pas ? Parce que tout se résume au fait que nous sommes impuissants face aux idéaux des autres. »

À la trame inhabituelle des respirations que j'entendais dans le combiné, il était évident qu'elle n'était pas aussi emballée que moi par cette théorie.

« Est-ce que tu es avec cet homme dégoûtant, O'Brien, ou je ne sais pas comment ? Tu es avec lui, n'est-ce pas ?

— Flaherty. Oui, je suis avec lui.

— Je le savais ! Tu ne vois pas que tu es en train de laisser cet homme ruiner ta vie ? »

Je ris.

« Bizarrement, c'est la seule pensée qui ne m'ait jamais traversé l'esprit, le concernant. J'ai réfléchi à peu près à tout le reste.

— Eh bien, tu n'as jamais été très intelligente ! Mais je te préviens, tu vas regretter ce choix chaque minute de ta vie.

— Non. C'est une mauvaise habitude, les regrets.»
Il y eut un silence.

«Ne t'avise pas de revenir, Hester. Ne t'avise pas de revenir à la maison et de me demander de régler tes problèmes. Cette époque-là est révolue, tu m'entends?

— Je sais.»

À nouveau, une pause. Celle-ci traîna plus longtemps que les autres. Je déplaçai le poids de mon corps sur mon pied droit et décidai de prononcer les mots qui m'avaient poussée à appeler. J'étais en plein milieu de mon «Au revoir» quand elle a raccroché.

Jethro et moi étions assis dans la cour de récré, l'un face à l'autre. Il était trois heures de l'après-midi, les gamins sortaient de l'école en courant partout et en poussant des tas de cris. Il portait le T-shirt «Metal Up Your Ass[1]» qu'on lui avait acheté dans l'Arkansas pour contrebalancer un peu sa garde-robe de Noël, et ses cheveux noirs flottaient doucement au vent. Son sac à dos traînait à ses pieds et ses doigts serraient le livre d'astrologie que je lui avais pris à la bibliothèque. Nous étions à Miami. La brise nous parvenait par vagues chaudes et nous nous contentions de rester assis là, sur le banc, tout sourire. Nous avions tellement de choses à nous dire que rien ne sortait. Notre relation avait pris fin brusquement, à l'aéroport de Kansas City: nous n'avions pas eu l'occasion de nous dire quoi que ce soit de toute la journée. Peut-être avions-nous échangé des regards lourds de sens,

1. *Metal Up Your Ass* est une chanson du groupe Metallica.

mais je ne m'en souviens pas. De toute façon, qu'aurions-nous pu dire ? « Bon, chéri, c'est la vie, c'est
comme ça. Peut-être qu'on se reverra quand tu auras
une barbe et un ventre à bière. » Qu'aurions-nous
pu dire qui aurait compté ? Nous avions compris,
dans le vrai sens dramatique du terme, qu'il valait
tout simplement mieux s'éloigner l'un de l'autre et
affronter l'éternité qui nous attendait.

L'éternité ne s'est pas révélée aussi longue que
prévu, puisque nous étions là, assis tous les deux
devant son école. Lumière du soleil, brise de prin-
temps, rires d'enfants : tous les ingrédients d'une pub
pour assouplissant.

« Qu'est-ce que ça fait d'être le rescapé d'un
kidnapping ? demandai-je.

— C'est bien. »

C'est toujours agréable d'apprendre qu'on n'a pas
bousillé la vie d'un enfant.

« Je fais partie du club de robotique maintenant,
poursuivit-il. On participe à un concours. Dans tout
le pays, des écoles fabriquent des robots et elles
vont s'affronter en avril. Toute notre classe va aller à
Washington. Ils louent un car pour ça, mais genre un
vrai car, tu vois, avec des toilettes dans le fond et la
télé et tout.

— Ah ouais, ils sont cool, ceux-là.

— Et j'ai une petite copine aussi, maintenant. Elle
s'appelle Dolores. Elle est mexicaine.

— Sérieux ? Comment c'est arrivé ? »

Il haussa les épaules.

« J'étais juste à côté de la fontaine à eau. Et elle est
venue et elle m'a dit qu'elle était médium. Donc je lui

ai parlé de Jésus. Et puis je lui ai parlé de Lorna et d'Elvin, qui étaient des extraterrestres, et comment on avait été obligés de s'enfuir en plein milieu de la nuit, et puis du policier et de comment on s'est retrouvés en prison, et de comment on a dû s'échapper par les canaux de climatisation.

— Quels canaux de climatisation ? On n'a jamais été en prison. »

Son sourire s'élargit à l'infini.

« Bon, mais j'allais quand même pas lui dire qu'on était juste restés assis toute la journée au commissariat à boire des chocolats chauds. »

Il marquait un point.

« Tu as bien fait, j'imagine. Et après, qu'est-ce qui s'est passé ?

— On est tombés amoureux. »

Je levai les sourcils.

« Tu es tombé amoureux en parlant de Jésus à côté d'une fontaine à eau ? Et c'est tout ?

— Hum, hum. On va certainement se marier quand on sera adultes. »

Je ne mentirai pas. J'étais surprise.

« Mon Dieu ! Je ne m'attendais vraiment pas à ce que tu sois fiancé avant ton onzième anniversaire.

— Ne t'inquiète pas. On ne fait rien, tu sais, de la page 13 de ce livre.

— Ravie de l'entendre. »

Il hocha la tête.

« On verra ça quand on sera en première, pas avant.

— T'as déjà tout planifié, hein ?

— Ouais.

— Bon, écoute, quand tu seras en première, toi et

moi on aura une petite conversation, ok ? Ta mère est gentille, mais il y a certains sujets sur lesquels je ne lui fais pas confiance.

— Ok.

— Et, juste pour que tu saches, je suis très jalouse, Jethro. »

Ça lui fit vaguement plaisir.

« Tu seras un putain d'amant un jour. Et tu sais pourquoi ?

— Pourquoi ?

— Parce que tu as un truc avec les mots. Tu dis aux filles ce qu'elles veulent entendre et tu le penses vraiment. Même si ça n'a jamais eu lieu, comme pour l'évasion du commissariat. »

Il rayonnait. Toute sa connaissance de l'amour physique se résumait probablement à l'image de ces deux grenouilles en train de s'accoupler dans les pages d'un livre emprunté à la bibliothèque. Mais son instinct lui disait que le compliment que je venais de lui faire atteignait la source même de la virilité. Ses joues s'enflammèrent et les mots qu'il cherchait semblaient momentanément perdus dans l'herbe épaisse et subtropicale à ses pieds. J'oubliais sans cesse qu'il n'avait que dix ans.

« Bon, je crois que je vais devoir me faire à l'idée que tu en épouseras une autre.

— Ben, t'es mariée avec Fenton, toi !

— Tu crois que j'ai oublié ? »

Nous jetâmes tous les deux un coup d'œil de l'autre côté de la route : Arlene était garée sous le soleil, dans toute sa beige splendeur. Fenton se tenait à ses côtés et essayait scrupuleusement d'expliquer à un groupe d'enfants de six ans pourquoi ils ne devaient pas lancer des balles de tennis sur son camping-car. Les enfants se mirent à rire et l'un d'entre eux, un petit garçon avec de grosses lunettes et un air d'autosatisfaction espiègle, continua de faire rebondir sa balle sur le flanc du camping-car. Fenton le menaça. Chaque sommation déclenchait une nouvelle salve de rires dans la foule qui lui arrivait à la taille.

« Et toi ? demanda Jethro, soudain libéré de toute timidité et me torpillant du regard. (Il avait une surprenante façon de vieillir en l'espace de quelques secondes.) Est-ce qu'ils t'ont décapitée dans le jardin ?

— Non. Mais j'ai failli m'en charger moi-même, cela dit.

— C'est vrai ?

— Ouais, j'ai découvert un truc : quand tu ne vas pas bien, si tu bois assez de vodka ou d'alcool à 90 degrés, tu peux aller encore plus mal.

— Vraiment ?

— Je t'assure, oublie cette idée.

— Et ta mère ?

— Quoi, ma mère ?

— Pourquoi elle t'a laissée partir cette fois ?

— Ben, en fait, il se trouve que ce n'est pas à elle de prendre des décisions à ma place. »

Il leva les yeux avec incrédulité.

« C'est ce que je t'ai dit à peu près trois millions de fois !

— Ouais, je sais. Je sais que tu me l'as dit. Mais tu es beaucoup plus futé que moi. Personnellement, je ne comprends jamais rien avant que les choses ne tournent très mal, dis-je en souriant. Et malheureusement, c'est la seule façon d'apprendre qui me convienne, je crois.»

Il le comprit, j'ignore comment.

«Et tu sais quoi, aussi ? poursuivis-je. Ma mère va bien. À sa façon… Bien sûr qu'elle ne va clairement pas bien au sens où on l'entend, mais à sa façon tordue, elle va bien.

— Je croyais que c'était une folle dangereuse.

— Je ne dis pas le contraire. Je dis juste qu'elle a des rêves, comme tout le monde. Alors, certes, les siens sont inspirés de ce genre de séries télé qui passent à cinq heures de l'après-midi. T'en as déjà regardé ?

— Non.

— Bon, c'est bien, parce qu'il y a des tas de choses plus intéressantes à faire de ton temps. Comme plier du linge, par exemple. Mais en gros, t'as toujours quelqu'un étendu sur un lit d'hôpital qui récite de longs monologues, avec de la mauvaise musique en fond sonore. Ce genre de trucs, tu vois. De mauvais acteurs qui se regardent dans le blanc des yeux jusqu'à ce que l'un d'eux finisse par les baisser, beaucoup de gens qui pleurent, qui crient et qui s'accrochent à la jambe de leur ex-mari alors qu'il essaie de s'enfuir pour sortir avec leur meilleure amie.»

Jethro parut impressionné.

«Bref, ça a l'air mieux que ça ne l'est, quand j'en parle. Le truc, c'est que ma mère chierait dans son froc d'extase si sa vie pouvait ressembler à ça. C'est un rêve parfaitement acceptable, mais je n'ai pas ma place dedans. C'est déjà assez difficile pour elle que je ne me drogue pas… Et je n'ai pas de problèmes de poids, je n'essaie même pas de me trancher les veines, rien. Je veux dire, je t'ai kidnappé et elle en a tiré tout ce qu'elle a pu, mais ça n'a pas duré assez longtemps. De toute évidence, on aura beau faire tous les efforts possibles, ça ne marchera jamais entre nous. Je ne corresponds pas à ses attentes. C'est aussi simple que ça. »

Il y eut un bref silence. Les bruits de la dispute entre Fenton et les gamins de six ans nous parvenaient de l'autre côté de la rue.

« Le truc, c'est que ce n'est pas sa faute si elle m'emmerde.

— Donc t'es partie.

— Ouais, mais cette fois je n'ai pas kidnappé mon cousin. (Je haussai les épaules.) On n'a jamais fini d'apprendre. »

Et c'est vrai. J'imagine qu'on ne peut pas vivre sans apprendre. De retour dans le camping-car, j'accrochai la serviette avec le numéro de téléphone de Jethro dans la kitchenette à l'arrière, à côté de l'horloge en plastique. Puis je me faufilai à l'avant et la foule des gamins de six ans, avec leurs balles de tennis à la main, s'ouvrit devant nous. Quelques-unes rebondirent à l'arrière une dernière fois.

Peut-être que ça m'a fait un peu bizarre, au début, de me retrouver dans le camping-car sans Jésus ni Jethro. De voir, à travers la vitre, des paysages qui n'étaient plus hivernaux. De savoir qu'on ne fuyait rien et qu'on n'allait nulle part. De me sentir vieille. Ancienne, même. Comment ne pas regarder la vie de haut, après avoir mené une existence de kidnappeuse nationalement célèbre ? Comment ne pas se sentir usée après avoir passé tant d'après-midi nauséeux à rêvasser, plongée dans la merde jusqu'au cou ? Après avoir appris que désirer un absent peut altérer le goût de la nourriture ? Et le pire, c'est que j'avais compris ça alors que je n'avais pas mangé depuis trois jours, et l'idée de faire un bon repas m'avait retourné l'estomac. Finalement, on découvre que le bonheur, c'est simplement d'avoir l'esprit tranquille. Parfois, on se sent chez soi en compagnie d'un gros con, et ça faisait du bien de savoir que si je lui souriais, il me sourirait en retour – parce que, même en sachant qu'il brisait toutes les règles du connard, il ne pourrait pas s'en empêcher –, et qu'il se casserait un million de fois le nez juste pour me retrouver dans un ascenseur d'hôpital.

Je regardai Fenton.

« Quoi ? demanda-t-il.

— Rien. »

REMERCIEMENTS

J'aimerais remercier les personnes suivantes pour avoir relevé leurs manches et rendu possible l'existence de ce livre : Grainne Fox, William Clark, Kerri Kolen, Ed Victor, Madeleine Webber, Renate Helnwein et Gottfried Helnwein.

Ma famille : Ali, Cyril, Amadeus, Jenni et Croí Helnwein.

Ceux qui ont semé de l'aide sur mon parcours d'écriture et se sont assurés que je trébuche dessus pour, j'ignore comment, parvenir au bout avec l'histoire sous sa forme finale : Chris Watson, Vivian Gray, Natasha Gray, Alex Prager, Hans Janitschek, Peter Plate, Jason Lee, Justin Shady, Dave Crosland, Lolo Dahl, Bryten Goss, Tiffany Steffens, Kevin Llewellyn, Mella Ottensteiner, Virginia MacGregor, Danny Masterson, WESC, Josie Hamilton et Rachel Rose Desimone.

Mon infinie et éternelle reconnaissance également à Tom Waits, The White Stripes, Bob Dylan, Blind Willie McTell, Robert Johnson, Charlie Patton, Mark Twain, John Steinbeck et Fernando Pessoa. Je leur dois à tous une lettre d'amour.

Merci à tous mes amis et à tous ceux qui ont trouvé ça cool quand je leur ai dit que j'étais en train d'écrire un roman.

Table

Le Livre de Poche s'engage pour
l'environnement en réduisant
l'empreinte carbone de ses livres.
Celle de cet exemplaire est de :
350 g éq. CO_2
Rendez-vous sur
www.livredepoche-durable.fr

PAPIER À BASE DE
FIBRES CERTIFIÉES

Composition réalisée par MAURY-IMPRIMEUR

Achevé d'imprimer en mai 2015 en France par
CPI BRODARD ET TAUPIN
La Flèche (Sarthe)
N° d'impression : 3011313
Dépôt légal 1re publication : juin 2015
LIBRAIRIE GÉNÉRALE FRANÇAISE
31, rue de Fleurus – 75278 Paris Cedex 06